£1·00
22

Themen neu

Lehrwerk für Deutsch als Fremdsprache

CW00953871

Glossar **1**
Deutsch-Englisch

Glossary
German-English

bearbeitet von
Alan G. Jones

Max Hueber Verlag

Dieses Werk folgt der seit dem 1. August 1998 gültigen Rechtschreibreform. Ausnahmen bilden Texte, bei denen künstlerische, philologische oder lizenzrechtliche Gründe einer Änderung entgegenstehen.

Das Werk und seine Teile sind urheberrechtlich geschützt. Jede Verwertung in anderen als den gesetzlich zugelassenen Fällen bedarf deshalb der vorherigen schriftlichen Einwilligung des Verlags.

3. 2. 1.   Die letzten Ziffern bezeichnen
2003 02 01 00 1999   Zahl und Jahr des Druckes.
Alle Drucke dieser Auflage können, da unverändert, nebeneinander benutzt werden.
2. Auflage 1999
© 1993 Max Hueber Verlag, D-85737 Ismaning
Umschlagfoto: Rainer Binder, Bavaria Bildagentur, Gauting
Druck: Schoder Druck, Gersthofen
Printed in Germany
ISBN 3-19-051521-2

A few tips on how to learn German efficiently with „Themen neu"

1. General tips

a) In all learning, we make mistakes. This is true of language learning, too. People who are afraid of making mistakes, and therefore say less, will learn less than those who keep on talking in spite of their mistakes.

b) You will never learn to use a language just by studying the grammar rules: practice in speaking, listening, reading and writing is essential.

c) Work regularly at home, because class time is usually not enough. The *Arbeitsbuch* and this *Glossar* will help you with individual work.

d) Arrange regular times with a partner for learning German together.

2. Vocabulary

a) Learn words in context rather than by themselves. For every word you want to learn, make up one or two example sentences.

b) Write out from each *Lektion* the words which you have learnt previously but have forgotten. Look them up in the alphabetical index and go back to the place where they first occurred. Then make up sentences containing these words.

c) Write out at least 15–20 sentences from the *Kursbuch*, leaving out one word in each sentence. Then fill in the missing word.

d) Make a card index. Fill in a card with each new word learnt, with the context but without the translation. Every two or three days, check which words you have forgotten, and put these cards into a separate box for special attention. Later, when you find you can remember the meaning of these words, return them to the main file.

3. Speaking

a) At home, make up variations on the basic dialogues and act them out with a partner.

b) Listen to the dialogues on the cassette sentence by sentence and repeat each one. Do this several times in succession.

4. Listening

a) Listen to as much German as you can, even if you do not understand everything. If you have the printed text available, you should listen without looking at it.

b) Make notes on a listening comprehension passage, and then write out a summary of what it says.

5. Reading

a) Read as much German as you can. Collect German texts.

b) Make notes about the main points of a passage, then write out a summary of it.

c) Practise at home with a partner from your class. Ask and answer questions about the text.

6. Writing

Make notes and then write a letter in German to a real or imaginary person (for example: you want to invite someone for a meal; you want to tell a friend what you did last week; you want to send greetings from a holiday …). You could ask your teacher to correct your work.

Lektion 1

Seite 7

Guten Tag! *Hello!*
Ich heiße Helga Brunner. *My name is Helga Brunner.*
ich *I*
heiße → heißen *to be called*
Wie heißen Sie? *What's your name?*
wie? *how?*
Sie *you*
Und ich heiße Marc Biro. *And my name's Marc Biro.*
und *and*
Mein Name ist Peter Miller. *My name is Peter Miller.*
mein Name *my name*
der Name, -n *name*
Wer ist das? *Who is that?*
wer? *who?*
ist → sein *is → to be*
das *that*
Das ist Frau Brunner. *That is Mrs Brunner.*
die Frau, -en *woman*
Wie bitte? *Pardon?*
Das ist Herr … *That is Mr …*
der Herr, -en *gentleman*

Seite 8

die Europareise, -n *journey through Europe*
Ich bin die Reiseleiterin. *I am the courier.*
die *the*
die Reiseleiterin, -nen *the courier*
Nein, ich heiße Lüders. *No, my name's Lüders.*
nein *no*

Ja, das bin ich. *Yes, that's me.*
ja *yes*
bin → sein *am → to be*
Auf Wiedersehen! *Goodbye!*
Gute Fahrt! *Have a good journey.*

Seite 9

Guten Abend! *Good evening!*
Hallo, ich bin die Lea. *Hello. I'm Lea.*
Hallo! *Hello!*
Wie heißt du? *What's your name?*
du *you*
Wie geht es Ihnen? *How are you?*
Guten Morgen! *Good morning!*
Es geht. *So-so.*
Und Ihnen? *And you?*
Danke, gut! *Thank you, I'm well.*
danke *thank you*
gut *well*
Wie geht es dir? *How are you?*
Danke, auch gut. *Thank you, I'm well too.*
auch *also*

Seite 10

Noch einmal, bitte langsam! *Once more, slowly please.*
noch einmal *once again*
bitte *please*
langsam *slowly*
Wie ist Ihr Familienname? *What is your surname?*
der Familienname, -n *surname*
Wie schreibt man das? *How do you write it?*
schreiben *to write*
man *one*
Buchstabieren Sie, bitte! *Please spell it.*
buchstabieren *to spell*

5

Und Ihr Vorname? *And your first name?*
der Vorname, -n *first name*
Und wo wohnen Sie? *And where do you live?*
wo *where*
wohnen *to live*
In Erfurt. *In Erfurt.*
in *in*
Ihre Adresse? *Your address?*
die Adresse, -n *address*
Ihre *your*
Ahornstraße 2 *2, Acorn Street*
die Straße, -n *street*
Und wie ist Ihre Telefonnummer?
And what is your telephone number?
die Telefonnummer, -n *telephone number*
Danke schön! *Thank you.*
Bitte schön! *You're welcome.*
Ergänzen Sie. *Please complete.*
ergänzen *to complete*
der Wohnort, -e *(home) town*
das Telefon, -e *telephone*
dein Vorname *your first name*
dein *your*
Fragen Sie im Kurs. *Ask your classmates.*
fragen *to ask*
der Kurs, -e *course*
der Umlaut, -e *Umlaut*

Seite 11

die Zahl, -en *number*
die Postleitzahl, -en *postcode*
Wie heißt der Ort? *What is the name of the place?*
der Ort, -e *place*
Wie ist die Postleitzahl von …, bitte?
What is the postcode for …, please?
von *of*

die Postkarte, -n *postcard*
Hören Sie Gespräch eins und notieren Sie die Adresse. *Listen to the first conversation and make a note of the address.*
hören *to listen*
das Gespräch, -e *conversation*
notieren *to make a note of*
Hören und notieren Sie zwei weitere Adressen. *Listen and make a note of two further addresses.*
weitere *further*

Seite 12

Wer ist da, bitte? *Who's speaking please?*
da *there*
Ist da nicht …? *Isn't that …?*
nicht *not*
Nein, hier ist … *No, here is …*
hier *here*
Hören Sie noch einmal und lesen Sie:
Listen once again and read.
lesen *to read*
Entschuldigung! *Sorry!*
Macht nichts! *Doesn't matter.*
Spielen Sie weitere Dialoge. *Act out further dialogues.*
spielen *to act*
der Dialog, -e *dialogue*
Wie viel ist das? *How much is that?*
wie viel? *how much?*
Wie weiter? *How does it go on?*
weiter *further*

Seite 13

Düsseldorf ist international
Düsseldorf is international
international *international*

6

Das sind Kinder aus aller Welt. *These are children from all over the world.*
das Kind, -er   *child*
aus   *from*
die Welt, -en   *the world*
aus aller Welt   *from all over the world*
Sie kommen aus Brasilien, Frankreich, Indien, Japan und Schweden. *They come from Brasil, France, India, Japan and Sweden.*
sie   *they*
kommen   *come*
Brasilien   *Brasil*
Frankreich   *France*
Indien   *India*
Japan   *Japan*
Schweden   *Sweden*
Sie wohnen in Düsseldorf, denn ihre Eltern arbeiten da. *They live in Düsseldorf, because their parents work there.*
denn   *since*
ihre   *their*
die Eltern *(Plural)*   *parents*
ihre Eltern   *their parents*
arbeiten   *to work*
In Deutschland leben etwa viereinhalb Millionen Ausländer. *Some four and a half million foreigners live in Germany.*
Deutschland   *Germany*
leben   *to live*
etwa   *about*
die Million, -en   *million*
der Ausländer, -   *foreigner*
Was meinen Sie?   *What do you think?*
was?   *what?*
meinen   *to think*
Woher kommt ...?   *Where does ... come from?*
woher?   *where from?*
die Lösung, -en   *solution*

die Seite, -n   *page*
Ich komme aus Bergen in Norwegen. *I come from Bergen in Norway.*
Norwegen   *Norway*
Spanien   *Spain*

Seite 14

die Leute *(Plural)*   *people*
Jetzt lebt sie in Hamburg.   *Now she lives in Hamburg.*
jetzt   *now*
Sie ist verheiratet und hat zwei Kinder. *She is married and has two children.*
verheiratet   *married*
hat → haben   *has → to have*
Frau Wiechert ist 34 Jahre alt und Ingenieurin von Beruf. *Frau Wiechert is 34 years old and an engineer.*
das Jahr, -e   *year*
34 Jahre alt sein   *to be 34 years old*
die Ingenieurin, -nen   *engineer*
von Beruf ... sein   *to be ... (by profession)*
Aber zur Zeit ist sie Hausfrau. *But at the moment she is a housewife.*
aber   *but*
zur Zeit   *at the moment*
die Hausfrau, -en   *housewife*
Die Kinder sind noch klein.   *The children are still small.*
klein   *small*
Angelika Wiechert hat zwei Hobbys: ... *Angelika Wiechert has two hobbies: ...*
das Hobby, -s   *hobby*
lesen   *to read*
surfen   *to surf*
Sie sind Landwirte und arbeiten zusammen.   *They are farmers and work together.*
der Landwirt, -e   *farmer*

der Landwirt, -e *farmer*
zusammen *together*
Ein Junge studiert Elektrotechnik in Basel.
One boy is studying electrical engineering in Basle.
der Junge, -n *boy*
ein Junge *one boy*
studieren *to study*
die Elektrotechnik *electrical engineering*
Ein Mädchen lernt Bankkauffrau in Bern.
One girl is apprenticed as a bank clerk in Bern.
das Mädchen, - *girl*
lernen *to do an apprenticeship*
die Bankkauffrau, -en *bank clerk*
Zwei Kinder sind noch Schüler. *Two children are still at school.*
der Schüler, *pupil*
Auch sie möchten später nicht Landwirte werden. *They don't want to be farmers later on either.*
auch *also*
möchten *to want to*
später *later*
werden (Landwirt werden) *to become (to become a farmer)*
der Beruf, -e *profession*
der Familienstand *marital status*
das Alter *age*

Seite 15

Katja Heinemann ist Ärztin in Leipzig.
Katja Heinemann is a doctor in Leipzig.
die Ärztin, -nen *(lady) doctor*
Sie ist ledig und hat ein Kind. *She is single and has one child.*
ledig *single*
Berufstätig sein und ein Kind erziehen, das ist nicht leicht. *To have a job and bring up a child is not easy.*

berufstätig *employed*
erziehen *to bring up*
leicht *easy*
Katja Heinemann spielt sehr gut Klavier.
Katja Heinemann plays the piano very well.
sehr gut *very well*
das Klavier, -e *piano*
spielen (Klavier spielen) *to play (to play the piano)*
Das ist ihr Hobby. *That is her hobby.*
Klaus-Otto Baumer, Automechaniker, wohnt in Vaduz. *Klaus-Otto Baumer, motor mechanic, lives in Vaduz.*
der Automechaniker, - *motor mechanic*
Er hat dort eine Autofirma. *He has a car firm there.*
dort *there*
eine Autofirma *a car firm*
die Autofirma, -firmen *car firm, firms*
Er ist 53 Jahre alt und verwitwet. *He is 53 years old and a widower.*
verwitwet *widowed*
Herr Baumer ist oft in Österreich und in der Schweiz. *Mr Baumer often goes to Austria and Swizerland.*
Österreich *Austria*
die Schweiz *Switzerland*
Dort kauft und verkauft er Autos. *There he buys and sells cars.*
kaufen *to buy*
verkaufen *to sell*
das Auto, -s *car*
Sein Hobby ist Reisen. *His hobby is travelling.*
reisen *to travel*

Seite 16

Schreiben Sie drei Texte. *Write three texts.*
der Text, -e *text*
schreiben *to write*
Polen *Poland*
Er ist verheiratet mit Irena Hoppe *He is married to Irena Hoppe.*
mit *with*
die Studentin, -nen *(female) student*
Medizin studieren *to study medicine*
der Lehrer, - *teacher*
der Fotograf, -en *photographer*
geschieden *divorced*
der Programmierer, - *programmer*
bei Müller & Co. *with Müller and Co.*
Tennis spielen *to play tennis*
Wer spricht? *Who is speaking?*
sprechen *to speak*
Und jetzt Sie: Wer sind Sie? *And now you. Who are you?*
jetzt *now*
das Land, ¨er *country*
Schreiben Sie jetzt und lesen Sie dann laut: *Now you write and then read aloud: ...*
dann *then*
laut *aloud*
Fragen Sie im Kurs und berichten Sie dann: ... *Ask round your class and then report: ...*
berichten *to report*

Seite 17

der Kaufmann, Kaufleute *sales executive*
die Sekretärin, -nen *secretary*
der Schlosser, - *fitter*
der Mechaniker, - *mechanic*

die Telefonistin, -nen *telephonist (female)*
Guten Tag, ist hier noch frei? *Hello. Is this seat free?*
noch *still*
frei sein *to be free*
Ja, bitte. *Yes, please (don't hesitate).*
Sind Sie neu hier? *Are you new here?*
neu *new*
Ja, ich arbeite erst drei Tage hier. *Yes, I have only been working here for three days.*
erst drei Tage *only for three days*
der Tag, -e *day*
Ach so. *Oh, I see*
Und was machen Sie? *And what do you do?*
machen *to do*
Übrigens: Ich heiße Klaus Henkel. *By the way, my name's Klaus Henkel.*
übrigens *by the way*
Kommen Sie aus England? *Do you come from England?*
England *England*
Neuseeland *New Zealand*
Sie sprechen aber schon gut Deutsch. *But you already speak German well.*
schon *already*
gut *well*
Deutsch *German*
Na ja, es geht. *Well, it's okay.*
es geht *it's okay*
Nein, ich arbeite schon vier Monate hier. *No, I've been working here for four months.*
der Monat, -e *month*
Was sind Sie von Beruf? *What's your job?*
von Beruf sein *to be by profession*
Fußball spielen *to play football*
fotografieren *to take photographs*

9

km = der Kilometer, - *kilometre*
Habt ihr Feuer? *Do you have a light?*
Feuer haben *to have a light*
Nein, leider nicht. *No, I'm afraid not.*
leider nicht *unfortunately not*
Wartet ihr hier schon lange? *Have you been waiting here for a long time?*
warten *to wait*
ihr *you*
lange *for a long time*
schon lange *for a long time already*
Wir kommen aus Rostock. *We come from Rostock.*
wir *we*
Wo liegt das denn? *Where is that?*
wo? *where?*
liegen *to lie*
denn *(Modifier used in questions to signal personal interest.)*
Bei Wien. *Near Vienna.*
bei *near*
Ich bin Österreicher. *I am Austrian.*
der Österreicher, - *Austrian*
Wohin möchtet ihr? *Where do you want to go to?*
wohin? *where to?*
Nach München. *To Munich.*
nach *to*
Wo sind die Tramper? *Where are the hitchhikers?*
der Tramper, - *hitchhiker*
C besucht seine Mutter. *C is visiting his mother.*
besuchen *to visit*
seine *his*
C hat Geburtstag. *It's C's birthday.*
Geburtstag haben *to have a birthday*

Mein Gott! *Good heavens.*
Ach so! *Oh, I see.*
Ich verstehe nicht! *I don't understand.*
verstehen *to understand*
Ja dann – guten Tag! *Well then – hello.*
ja dann *well then*
Bin ich vielleicht …? *Am I perhaps …?*
vielleicht *perhaps*
Ach was! *Oh what the hell.*

wohnhaft *resident*
Wann sind Sie geboren? *When were you born?*
wann? *when?*
geboren sein *to be born*
Am 5. 5. 55. *On 5th May 1955.*
der Geburtsort, -e *place of birth*
Sie sind also Herr Weiß … *So you are Mr Weiß …*
also *so*
… verheiratet mit Isolde Weiß …
… married to Isolde Weiß …
verheiratet sein mit *to be married to*
richtig *correct*
Aber ich arbeite schwarz. *But I moonlight.*
schwarz arbeiten *to moonlight*
Das ist verboten. *That is illegal.*
verboten sein *to be illegal*
Ich weiß. *I know.*
wissen *to know*

Lektion 2

der Stuhl, ¨e *chair*
der Kugelschreiber, - *biro*
die Frau, -en *woman*
der Topf, ¨e *saucepan*
die Batterie, -n *battery*
der Elektroherd, -e *electric stove*
die Lampe, -n *lamp*
die Kamera, -s *camera*
das Foto, -s *photograph*
die Glühbirne, -n *light bulb*
der Tisch, -e *table*
das Waschbecken, - *wash basin*
der Taschenrechner, - *pocket
  calculator*
der Stecker, - *plug*
die Steckdose, -n *socket*

Seite 22

Was passt zusammen? *What goes
  together?*
zusammenpassen *to go together*
die Taschenlampe, -n *torch*
der Singular, -e *singular*
der Plural, -e *plural*
Entscheiden Sie. *Decide.*
entscheiden *to decide*
Sie haben 5 Minuten Zeit. *You have five
  minutes.*
die Minute, -n *minute*
Zeit haben *to have time*

Seite 23

die Mine, -n *refill*
der Wasserhahn, ¨e *the tap*
das Worträtsel, - *word game*

Ergänzen Sie die Wörter. *Complete the
  words.*
das Wort, ¨er *word*
die Küche, -n *kitchen*

Seite 24

Eine Küche ist einfach eine Küche ...
  A kitchen is just a kitchen ...
oder *or*
eine Küche von BADENIA *a BADENIA
  kitchen*
von *by*
Das ist ein Küchenschrank. *This is a
  kitchen cupboard.*
der Küchenschrank, ¨e *kitchen cupboard*
die Spüle, -n *sink unit*
das Küchenregal, -e *kitchen shelving*
die Küchenlampe, -n *kitchen lamp*
der Küchenstuhl, ¨e *kitchen chair*
der Schrank, ¨e *cupboard*
das Regal, -e *shelf*

Seite 25

er *he, it*
sie *she, it*
es *it*
Der Schrank hat 8 Schubladen.
  The cupboard has eight drawers.
die Schublade, -n *drawer*
Er kostet DM 998,–. *It costs 998 Mark.*
kosten *to cost*
DM *Deutsche Mark, German Mark*
Die Spüle hat zwei Becken. *The sink
  unit has two basins.*
das Becken, - *basin*
Das Kochfeld ist aus Glaskeramik.
  The hob is made of glass ceramic.
das Kochfeld, -er *hob*
aus ... sein *to be made of ...*

11

die Glaskeramik   *glass ceramic*
Die Stühle sind sehr bequem.
The chairs are very comfortable.
sehr   *very*
bequem   *comfortable*
der Herd, -e   *stove*
modern   *modern*
die Mikrowelle, -n   *microwave*
Watt   *watt*
der Geschirrspüler, -   *dishwasher*
das Programm, -e   *programme*
praktisch   *practical*

Seite 26

die Person, -en   *person*
der Verkaufsleiter, -   *sales manager*
die Uhr, -en   *clock*
der Fernsehapparat, -e   *television set*
das Bild, -er   *picture*
die Waschmaschine, -n   *washing machine*
der Kühlschrank, -̈e   *refrigerator*
das Radio, -s   *radio*
der Abfalleimer, -   *waste basket*
kein Stuhl   *no chair*
keine Stühle   *no chairs*
keine Lampe   *no lamp*
keine Lampen   *no lamps*
kein Bild   *no picture*
keine Bilder   *no pictures*

Seite 27

Was kann man hier ersteigern?
What can one buy here?
können   *to be able to*
ersteigern   *to buy at an auction*
Wie viel Geld bieten die Leute?
How much money do the people offer?
das Geld   *money*
bieten   *to offer*

Seite 28

dies und das   *this and that*
Das Geschäft mit Witz und Ideen
The shop with wit and ideas
das Geschäft, -e   *shop*
der Witz   *wit*
die Idee, -n   *idea*
Ihr Fernsehapparat funktioniert.
Your television set works.
funktionieren   *to work*
Aber seien Sie mal ehrlich: …
But be honest: …
mal   *for once*
ehrlich   *honest*
Ist Ihr Fernsehapparat originell?
Is your television set novel?
originell   *novel*
witzig   *witty*
lustig   *amusing*
Dann kommen Sie zu DIES & DAS!
Then come to DIES & DAS.
zu … kommen   *come to …*
Ihr Geschäft mit 1000 Ideen für Haus und
   Haushalt.   *Your shop of 1000 ideas for*
   house and home.
das Haus, -̈er   *house*
der Haushalt, -e   *household*
das Preisausschreiben, -   *competition*
der Preis, -e   *prize*
der Wert, -e   *value*
sondern   *but*
der Helm, -e   *helmet*
der Schuh, -e   *shoe*
die Parkuhr, -en   *parking meter*
die Hausnummer, -n   *house number*
Lösung bis 30. 4. 92 an: …   *Solutions by*
   30. 4. 92 to: …
bis   *by*
an   *to*

Seite 29

Das ist mein Bett. *That is my bed.*
das Bett, -en *bed*
Dein Bett? *Your bed?*
dein *your*
Entschuldigen Sie! Was ist das denn?
Excuse me. What is that?
entschuldigen *to excuse*
Das ist mein Auto. *That is my car.*
Es fährt sehr gut. *It goes very well.*
fahren *to go (car, train)*
Sag mal, was ist das denn? *Tell me, what is that?*
sagen *to say*
Warum fragen Sie? *Why do you ask?*
warum? *why?*
Und funktioniert sie auch? *And does it work?*
auch *also*
Ja, kein Problem. *Yes, no problem.*
das Problem, -e *problem*
Spielen Sie ähnliche Dialoge im Kurs.
Act out similar dialogues in your class.
ähnlich *similar*

Seite 30

Deine Kamera ist kaputt? *You camera is broken?*
kaputt *broken*
Die Batterie ist leer. *The battery is dry.*
leer sein *to be empty*
Hören und Sprechen *Listening and speaking*
sprechen *to speak*
Das Benzin ist alle. *There is no petrol.*
das Benzin *petrol*
alle sein *to be all gone*
Der Stecker ist raus. *The plug has been pulled out.*

raus sein *to be out*
Meine Spülmaschine spült nicht. *My dishwasher doesn't wash.*
spülen *to wash dishes*
gehen *to work*
Hören Sie jetzt die Dialoge auf der Kassette. *Now listen to the dialogues on the cassette.*
die Kassette, -n *cassette*
Korrigieren Sie Ihre Fehler! *Correct your mistakes.*
der Fehler, - *mistake*
korrigieren *to correct*
Die Waschmaschine wäscht nicht. *The washing machine doesn't wash.*
waschen *to wash (self, clothes)*
Der Wasserhahn ist zu. *The tap is off.*
zu sein *to be turned off*
Die Fernbedienung ist kaputt. *The remote control is broken.*
die Fernbedienung, -en *remote control*

Seite 31

das Lernspiel, -e *learning game*
die Gruppe, -n *group*
der Spieler, - *player*
Spieler C fragt, Spieler A und Spieler B antworten. *Player C asks the questions, player A and player B answer.*
antworten *to answer*
Spieler A bekommt 10 Karten. *Player A gets 10 cards.*
bekommen *to receive*
die Karte, -n *card*
Spieler C fragt Spieler A oder Spieler B: ... *Player C asks player A or player B: ...*
Antonia, ist Nr.1 dein Schrank? *Antonia, is No. 1 your cupboard?*

13

Nein, das ist ihr Schrank. *No, that is her cupboard.*
Stimmt, das ist sein Schrank. *Yes, that is his cupboard.*
es stimmt *that's right*
sein *his*
Die Spieler wechseln: Spieler A ist jetzt Spieler B. *The players change round: player A is now player B.*
wechseln *to change*
Viel Spaß! *Have fun!*

Seite 32

Alles ganz modern. *All very modern*
alles *everything*
ganz *quite*
modern *modern*
Sehr komisch! *Very odd.*
komisch *odd*
interessant *interesting*
Und gar nicht teuer. *And not at all expensive.*
gar nicht *not at all*
Donnerwetter! *Heavens!*
Auch sehr modern, und gar nicht teuer. *Also very modern, and not at all expensive.*
gar nicht *not at all*
natürlich *of course*
heute *today*

Lektion 3

Seite 33

Essen und Trinken *Food and drink*
die Kartoffel, -n *potato*
das Obst *fruit*

der Käse *cheese*
die Wurst, ¨e *sausage*
der Salat, -e *lettuce*
der Reis *rice*
die Milch *milk*
das Gemüse *vegetables*
das Wasser *water*
der Wein, -e *wine*
die Butter *butter*
das Fleisch *meat*
der Fisch, -e *fish*
das Glas, ¨er *glass*
das Bier, -e *beer*
das Brot, -e *bread*
die Gabel, -n *fork*
der Löffel, - *spoon*
der Teller, - *plate*
das Messer, - *knife*
das Ei, -er *egg*
der Kuchen, - *cake*

Seite 34

trinken *to drink*
er isst *he eats*
essen *to eat*

Seite 35

Er isst einen Hamburger. *He eats a hamburger.*
der Hamburger, - *hamburger*
die Pizza, -s (*oder* Pizzen) *pizza*
das Brötchen, - *roll*
die Suppe, -n *soup*
das Wurstbrot, -e *open sandwich with sliced sausage*
die Marmelade *jam*
das Käsebrot, -e *open sandwich with cheese*
das Hähnchen, - *chicken*

14

das Kotelett, -s *chop*
das Eis *ice cream*
der *oder* das Ketschup *ketchup*
der Orangensaft, ⁻e *orange juice*
der Schnaps, ⁻e *schnaps*
die Cola, -s *cola*
das Mineralwasser *mineral water*
die Flasche, -n *bottle*
drei Gläser Saft *three glasses of juice*
der Saft, ⁻e *juice*
die Dose, -n *can*
die Tasse, -n *cup*
der Tee, -s *tea*
der Kaffee *coffee*
der Nominativ, -e *nominative*
der Akkusativ, -e *accusative*
Erzählen Sie. *Give an account.*
erzählen *to relate*
Morgens isst Franz Kaiser ein Brötchen
   mit Butter und Marmelade. *In the*
   morning Franz Kaiser eats a roll with
   butter and jam.
morgens *in the morning*
Nachmittags isst Franz Pommes frites mit
   Ketchup und ein Eis. *In the afternoon*
   Franz eats chips with ketchup and an
   ice cream.
nachmittags *in the afternoon*
die Pommes frites *(Plural)* *chips*
mittags *at lunch time*
abends *in the evening*

Seite 36

Wer mag keinen Fisch? *Who doesn't*
   like fish?
mögen *to like*
Was glauben Sie? *What do you think?*
glauben *to believe*
Hören Sie die Interviews auf der Kassette.
   Listen to the interviews on the cassette.

das Interview, -s *interview*
Markieren Sie die Antworten.
   Tick the answers.
markieren *to tick*
Üben Sie. *Practise.*
üben *to practise*
Essen Sie gerne Fleisch? *Do you like*
   meat?
gerne essen *to like eating*
das Steak, -s *steak*
Ich trinke lieber Tee. *I prefer drinking tea*
lieber: lieber trinken *to prefer drinking*
Mittags trinke ich sehr oft …
   At lunchtime I often drink …
oft *often*
Nachmittags manchmal ein …
   In the afternoon sometimes a …
manchmal *sometimes*

Seite 37

der Gasthof, ⁻e *inn*
Kalte Gerichte *Cold dishes*
kalt *cold*
das Gericht, -e *dish*
die Fischplatte, -n *fish platter*
das Toastbrot, -e *sliced white bread*
der Käseteller, - *cheese platter*
das Weißbrot, -e *white loaf*
die Schinkenplatte, -n *ham platter*
mit *with*
das Schwarzbrot, -e *black bread*
die Gurke, -n *cucumber*
die Gemüsesuppe, -n *vegetable soup*
die Rindfleischsuppe, -n *beef soup*
die Zwiebelsuppe, -n *onion soup*
das Hauptgericht, -e *main dish*
der Schweinebraten, - *roast pork*
die Kartoffel, -n *potato*
der Rotkohl *red cabbage*
das Rindersteak, -s *steak*

15

die Bohnen *(Plural)* *beans*
die Bratwurst, ¨e *fried sausage*
der Kartoffelsalat, -e *potato salad*
die Bratkartoffeln *(Plural)* *roast potatoes*
der Salatteller, - *side salad*
das Brathähnchen, - *roast chicken*
der Bratfisch, -e *fried fish*
das Dessert, -s *dessert*
die Sahne *cream*
die Frucht, ¨e *fruit*
der Apfelkuchen, - *apple cake*
der Obstkuchen, - *fruit flan*
das Getränk, -e *drink*
Coca Cola (Flasche, 0,2 l) 2,80 *Coca Cola (0.2 litre bottle) DM 2.80*
die Coca Cola, -s *Coca Cola*
die Flasche, -n *bottle*
0,2 l (0,2 Liter) *0.2 litre*
die Limonade, -n *soft drink*
der Apfelsaft *apple juice*
der Rotwein, -e *red wine*
der Weißwein, -e *white wine*
Ich nehme eine Zwiebelsuppe und dann einen Schweinebraten mit Kartoffeln und Rotkohl. *I'll have an onion soup and then roast pork with potatoes and red cabbage.*
nehmen *to take*
Als Nachtisch esse ich einen Obstkuchen mit Sahne, und danach trinke ich noch einen Kaffee. *As a sweet I'll have fruit flan with cream, and then I'll drink a cup of coffee.*
der Nachtisch *sweet*
danach *afterwards*
noch *as well*
Sie sind im Gasthof Niehoff und lesen die Speisekarte. *You are in the Gasthof Niehoff and are reading the menu.*
die Speisekarte, -n *menu*

Seite 38

Wir möchten gern bestellen. *We'd like to order.*
gern: gern bestellen *to like to order*
bestellen *to order*
Geht das? *Is that all right?*
der Hörtext, -e *listening passage*

Seite 39

Wir möchten bitte bezahlen. *We'd like to pay.*
bezahlen *to pay*
Zusammen oder getrennt? *Together or separately?*
zusammen *together*
getrennt *separately*
Vielen Dank! *Thank you very much!*
Das macht 28 Mark 30. *That comes to 28 Marks 30.*
die Mark *German Mark*
Stimmt so. *Keep the change (It's right as it is).*
so *as it is*
die Dialogarbeit *dialogue work*
Ergänzen Sie die Preise. *Fill in the prices.*

Seite 40

Schmeckt der Fisch? *Does the fish taste good?*
schmecken *to taste*
Danke, er ist fantastisch. *Thank you, it's fantastic.*
fantastisch *fantastic*
Nehmen Sie doch noch etwas Fisch! *Do have some more fish.*
doch: nehmen Sie doch *do take*
noch *more*

etwas *some*
Nein danke, ich habe genug. *No thank you, I have enough.*
genug *enough*
Danke, ich bin satt. *Thank you, I am full.*
satt *full*
Ich möchte nicht mehr. *I don't want any more.*
nicht mehr *no more*
Kommst du zum Abendessen? *Can you come to supper?*
das Abendessen, - *supper*
der Samstag, -e *Saturday*
Ich koche selbst! *I'm doing the cooking.*
kochen *to cook*
selbst *myself*
Was essen sie als Vorspeise? *What do they eat as a starter?*
als *as*
die Vorspeise, -n *starter*
das Hauptgericht, -e *main course*
Was ist die Nachspeise? *What is the sweet?*
die Nachspeise, -n *sweet*
sauer *sour*
süß *sweet*
warm *warm*
bitter *bitter*
die Limo, -s *soft drink*
alt *stale*
trocken *dry*
hart *hard*
salzig *salty*
scharf *spicy*
frisch *fresh*
fett *fat*
die Soße, -n *sauce*

der Lebensmittelfachmarkt, ¨e *specialist grocers*
à *each*
Emsland Mineralwasser, 12 Flaschen à 0,7 Ltr. *Emsland mineral water, 12 0.7 litre bottles*
das Mineralwasser *mineral water*
das Vollkornbrot, -e *wholemeal bread*
der Käse *cheese*
Holland *Holland*
der *oder* das Joghurt *yoghurt*
die Marmelade *jam*
die Kirsche, -n *cherry*
die Erdbeere, -n *strawberry*
das Glas, ¨er *glass*
die Salatgurke, -n *cucumber*
die Gurke, -n *cucumber or gherkin*
das Stück, -e *piece*
der Paprika *paprika*
die Tomate, -n *tomato*
das Öl *oil*
die Flasche, -n *bottle*
Ltr. = der Liter *litre*
der Zucker *sugar*
die Packung, -en *packet*
das Mehl *flour*
das Gewürz, -e *spice*
der Paprika *paprika*
der Pfeffer *pepper*
die Salami, -s *salami*
der Schinken, - *ham*
der Aufschnitt *sliced cold meat*
das Rindersteak, -s *steak*
die Nuss, ¨e *nut*
die Schokolade, -n *chocolate*
g = das Gramm *gram*
der Apfel, ¨ *apple*
das Vollwaschmittel, - *washing powder*
kg = das Kilogramm *kilogram*

17

das Spülmittel, - *washing-up liquid*
ganz *quite*
nah *near*
billig *cheap*
Lesen Sie die Anzeige. *Read the advert.*
die Anzeige, -n *advert*
Hören Sie dann den Text. *Then listen to the passage.*
dann *then*
der Text, -e *passage*
Notieren Sie die Sonderangebote. *Make a note of the special offers.*
das Sonderangebot, -e *special offer*
die Kiste, -n *case*
das Pfund, -e *pound*
das Kilo = das Kilogramm *kilo*
das Gramm *gram*
der Liter, - *litre*
Schreiben Sie einen Einkaufszettel. *Write a shopping list.*
der Einkaufszettel, - *shopping list*
Sie möchten ein Frühstück für fünf Personen machen. *You want to prepare breakfast for five people.*
das Frühstück *breakfast*
Was brauchen Sie? *What do you need?*
brauchen *to need*
Sie möchten Geschirr spülen und Wäsche waschen. *You want to wash dishes and do the washing.*
die Wäsche *washing*
Sie möchten einen Kuchen backen. *You want to bake a cake.*
backen *to bake*

Seite 42

das Lexikon, Lexika *dictionary*
Im Durchschnitt trinkt jeder Deutsche 190 Liter Kaffee pro Jahr. *On average,*
every German drinks 190 litres of coffee per year.
der Durchschnitt *average*
jeder *every*
Sehr beliebt sind auch Erfrischungsgetränke (Limonaden) und Mineralwasser. *Soft drinks and mineral water are also very popular.*
beliebt *popular*
das Erfrischungsgetränk, -e *refreshing drink*
die Limonade, -n *soft drink*
Und dann natürlich das Bier: ... *And then, of course, beer: ...*
natürlich *of course*
150 Liter trinken die Deutschen im Durchschnitt pro Person und Jahr. *On average the Germans drink 150 litres each per year.*
die / der Deutsche, -n *German*
pro Person *per person*
In Deutschland gibt es viele Biersorten, und sie schmecken alle verschieden. *In Germany there are many types of beer, and they all taste different.*
es gibt *there is, there are*
die Biersorte, -n *type of beer*
schmecken *to taste*
alle *all*
verschieden *different*
Die meisten Biertrinker haben ihre Lieblingssorte und ihre Lieblingsmarke. *Most beer drinkers have their favourite type and their favourite brand.*
meist- *most*
der Biertrinker, - *beer drinker*
die Lieblingssorte, -n *favourite type*
die Lieblingsmarke, -n *favourite brand*
Kennen Sie die wichtigen Biersorten und ihre Unterschiede? *Do you know the*

differences?
kennen   *to know*
wichtig   *important*
der Unterschied, -e   *difference*
Altbier ist dunkel und schmeckt etwas
   bitter.   *Altbier is dark and tastes*
   somewhat bitter.
das Altbier   *Altbier*
dunkel   *dark*
Berliner Weiße mischt man mit etwas
   Himbeer- oder Waldmeistersaft.
   Berlin White Beer is mixed with some
   raspberry or woodruff juice.
die Berliner Weiße   *Berlin White Beer*
mischen   *to mix*
der Himbeersaft   *raspberry juice*
der Waldmeistersaft   *woodruff juice*
Sie ist dann rot oder grün.   *Then it is red*
   or green.
dann   *then*
rot   *red*
grün   *green*
Berliner Weiße ist ein Leichtbier und
   schmeckt süß.   *Berlin White Beer is a*
   light beer, and it tastes sweet.
das Leichtbier   *light beer*
Das Bockbier ist ein Starkbier mit 5,6%
   Alkohol.   *Bock beer is a strong beer*
   with 5.6% alcohol.
das Bockbier   *Bock beer*
das Starkbier   *strong beer*
der Alkohol   *alcohol*
fast   *almost*
Normal sind 4,7%.   *Normal strength is*
   4.7%.
normal   *normal*
Viele Bockbierarten schmecken leicht süß.
   Many types of Bock beer taste slightly
   sweet.
die Bockbierart, -en   *type of Bock beer*
leicht süß   *slightly sweet*

Export ist hell und schmeckt sehr mild.
   Export is light and tastes very mild.
das Export = das Exportbier   *Export*
   (beer)
hell   *light*
mild   *mild*
Kölsch kommt aus dem Köln-Bonner
   Raum, und man trinkt es auch nur dort.
   Kölsch comes from the Cologne-Bonn
   region and is only drunk there.
der Raum, ̈e   *region*
nur   *only*
Es ist hell und leicht (nur 3,7% Alkohol).
   It is pale and light (only 3.7% alcohol).
Kölsch-Gläser erkennt man sofort.
   You can recognise Kölsch glasses at
   once.
das Kölsch-Glas, ̈er   *Kölsch glass*
erkennen   *to recognise*
sofort   *at once*
Sie sind hoch und schlank.   *They are tall*
   and narrow.
hoch   *tall*
schlank   *narrow*
Münchener ist vor allem in Bayern
   beliebt.   *Munich beer is popular above*
   all in Bavaria.
vor allem   *above all*
beliebt   *popular*
Es schmeckt ähnlich wie Export, aber es
   ist nicht so herb und nicht so stark.
   It tastes similar to Export, but it is not
   so bitter and not so strong.
nicht so herb   *not so bitter*
herb   *bitter*
stark   *strong*
Pils ist eine Biersorte aus der
   Tschechischen Republik, aber die
   Deutschen mögen sie besonders gern.
   Pils is a beer from the Czech Republic,
   but the Germans particularly like it.

19

das Pils *Pils*
die Tschechische Republik *Czech Republic*
besonders *particularly*
Man bekommt es überall. *You can get it everywhere.*
überall *everywhere*
Typische Pilsgläser haben einen Bauch und sind oben eng. *Typical Pils glasses are wide in the middle and narrow at the top.*
typisch *typical*
das Pilsglas, ⁻er *Pils glass*
der Bauch, ⁻e *bowl*
oben *at the top*
eng *narrow*
Weizenbier, auch Weißbier, kommt vorwiegend aus Bayern, doch es hat auch in Nord-, West- und Ostdeutschland viele Freunde. *Wheat beer, also known as White beer, comes mainly from Bavaria but also has many fans in North, West and East Germany.*
das Weizenbier *wheat beer*
das Weißbier *white beer*
vorwiegend *mainly*
Bayern *Bavaria*
Ostdeutschland *East Germany*
Norddeutschland *North Germany*
Westdeutschland *West Germany*
viel *much*
der Freund, -e *friend, fan*
Man trinkt es gerne mit etwas Zitrone. *People like drinking it with a little lemon.*
die Zitrone, -n *lemon*
Weizenbiergläser sind sehr groß. *Wheat beer glasses are very tall.*
das Weizenbierglas, ⁻er *wheat beer glass*
groß *tall*
Sie sind unten eng und haben oben einen

Bauch. *They are narrow at the bottom and wide at the top.*
unten *at the bottom*
der Bauch, ⁻e *bowl*

Seite 43

Welche Bilder passen zu welchen Biersorten? *Which pictures match which types of beer?*
welcher? welche? welches? *which?*

Seite 44

das Würstchen, - *small saussage*
der Sekt *(German) Champagne*
Was haben Sie denn überhaupt? *What do you have at all?*
überhaupt *at all*

Lektion 4

Seite 45

surfen *to surf*
Volleyball spielen *to play volleyball*
der Volleyball *volleyball*
schlafen *to sleep*
faulenzen *to laze around*
fotografieren *to take photographs*
schwimmen *to swim*
die Bar, -s *bar*
besuchen *to visit*
tanzen *to dance*
das Café, -s *cafe*
rauchen *to smoke*
Musik hören *to listen to music*
die Musik *music*
hören *to listen*
Musik machen *to make music*

Seite 47

das Deck, -s *deck*
das Schwimmbad, ̈er *swimming pool*
die Bibliothek, -en *library*
der Friseur, -e *hairdresser*
das Geschäft, -e *shop*
die Bank, -en *bank*
die Küche, -n *kitchen*
das Krankenhaus, ̈er *hospital*
das Kino, -s *cinema*
die Maschine, -n *engine*
Wo kann man …? *Where can you …?*
können *to be able to*
Auf Deck … kann man einen Film sehen.
  On deck … you can watch a film.
auf *on*
der Film, -e *film*
sehen *to see*
hören *to listen*
das Tischtennis *table tennis*
Geld tauschen *to change money*
das Geld *money*
tauschen *to change*
einen Spaziergang machen *to go for a
  walk*
der Spaziergang, ̈e *walk*
Was machen die Passagiere? *What are
  the passengers doing?*
der Passagier, -e *passenger*
Auf Deck … liest jemand ein Buch.
  On deck … someone is reading a book.
jemand *someone*
das Buch, ̈er *book*
ein Sonnenbad nehmen *to sunbathe*
flirten *to flirt*
frühstücken *to have breakfast*
aufstehen *to get up*
fernsehen *to watch television*
Auf Deck … bedient ein Kellner einen
  Gast. *On deck … a waiter is serving a
  customer.*

bedienen *to serve*
der Kellner, - *waiter*
der Gast, ̈e *customer*
… schneidet ein Koch Fleisch.
  … a cook is cutting meat.
schneiden *to cut*
der Koch, ̈e *cook*
… spielt ein Pianist Klavier.
  … a pianist is playing the piano.
der Pianist, -en *pianist*
… kontrolliert ein Mechaniker die
  Maschine. *… a mechanic is checking
  the engine.*
kontrollieren *to check*
… backt ein Bäcker eine Torte.
  … a baker is baking a gateau.
backen *to bake*
der Bäcker, - *baker*
die Torte, -n *cake, gateau*
… massiert ein Masseur jemanden.
  … a masseur is massaging somebody.
massieren *to massage*
der Masseur, -e *masseur*
… frisiert eine Friseurin jemanden. *… a
  hairdresser is doing someone's hair.*
die Friseurin, -nen *hairdresser*
frisieren *to do hair*

Seite 48

Was muss man? *What must one do?*
müssen *to have to*
Was darf man nicht? *What is not
  allowed?*
dürfen *to be allowed*
Bitte leise sprechen! *Please speak
  quietly.*
leise *quietly*
Hier kann man Bücher lesen. *Here one
  can read a book.*

Hier muss man leise sprechen. *Here one has to talk in a low voice.*

Dusche obligatorisch *Access only via shower*

die Dusche, -n *shower*

obligatorisch *obligatory*

Bitte keine Getränke mitbringen
Please do not take in drinks

mitbringen *to take in*

der Duty-Free-Shop, -s *duty free shop*

die Boutique, -n *boutique*

Heute geschlossen. *Closed today*

geschlossen *closed*

Rauchen verboten! *No smoking*

verboten *forbidden*

Bitte nicht stören. *Please do not disturb.*

stören *to disturb*

das Arztzimmer, - *consulting room*

der Maschinenraum, ²e *engine room*

der Eintritt *entry*

duschen *to shower*

einkaufen *to shop*

eintreten *to enter*

Geld ausgeben *to spend money*

Zeichnen Sie selbst Schilder: ...
Draw your own signs: ...

zeichnen *to draw*

selbst *yourself*

das Schild, -er *sign*

Seite 49

Erkennen Sie die Situation? *Do you recognize the situation?*

erkennen *to recognize*

die Situation, -en *situation*

Hören Sie gut zu! *Listen carefully.*

zuhören *to listen*

Jemand macht eine Flasche Wein auf.
Somebody is opening a bottle of wine.

aufmachen *to open*

Ordnen Sie die Sätze und spielen Sie den Dialog. *Arrange the sentences and act out the dialogue.*

ordnen *to arrange*

der Satz, ²e *sentence*

Hören Sie die Kassette und vergleichen Sie. *Listen to the cassette and compare (with your own version).*

vergleichen *to compare*

Ich rauche eine Zigarette. *I am smoking a cigarette.*

die Zigarette, -n *cigarette*

Na gut, dann höre ich eben auf.
Oh well, then I'll stop.

Na gut! *Oh well!*

aufhören *to stop*

eben *in that case*

Warum nicht? *Why not?*

warum? *why?*

Seite 50

die Freizeit *leisure*

die Arbeit, -en *work*

träumen *to dream*

die Zeitung, -en *newspaper*

vorbereiten *to prepare*

aufräumen *to tidy up*

die Krankenschwester, -n *nurse*

Betten machen *to make beds*

das Fieber *temperature*

messen *to measure*

bringen *to bring*

Um ... Uhr. *At ... o'clock.*

Beschreiben Sie: ... *Give an account: ...*

beschreiben *to describe*

Seite 51

zu Mittag essen *to have lunch*
der Mittag *midday*
das Kleid, -er *dress*
anziehen *to put on*
das Mittagessen, - *lunch*
der Abend, -e *evening*
zu Abend essen *to have supper*
die Bestellung, -en *order*
aufschreiben *to write down*
das Essen, - *food*
holen *to fetch*
der Freund, -e *friend*
treffen *to meet*
Pause machen *to have a break*
die Pause, -n *break*
einen Verband machen *to put on a
    bandage*
der Verband, ⁼e *bandage*
Um sechs Uhr schläft Ilona Zöllner noch.
    *At six o'clock Ilona Zöllner is still
    asleep.*
noch *still*
Um … Uhr macht sie Betten.
    At … o'clock she makes beds.
Betten machen *to make beds*
meinen *to think*
Was kann Willi Rose zwischen drei Uhr
    und halb sieben machen? *What can
    Willi Rose do between three o'clock and
    half past six?*
zwischen *between*
halb sieben *half past six*

Seite 52

der Veranstaltungskalender, - *diary of
    events*
Mittwoch, der 10. Juli *Wednesday, 10th
    July*

der Mittwoch *Wednesday*
Was ist heute los? *What is on today?*
los sein *to be on*
Morgengymnastik mit Carla *morning
    gymnastics with Carla*
die Morgengymnastik *morning
    gymnastics*
der Vortrag, ⁼e *lecture*
der Mensch, -en *man*
das Meer, -e *sea*
der Fotokurs, -e *photographic course*
die Mannschaft, -en *crew*
gegen *against*
der Passagier, -e *passenger*
der Tanz, ⁼e *dancing*
das Tennisspiel, -e *tennis match*
das Finale *final*
12 Uhr mittags *High Noon*
Das große Gala-Dinner – Der Kapitän lädt
    ein *Gala Dinner by invitation of the
    Captain*
der Kapitän, -e *captain*
einladen *to invite*
das Piano, -s *piano*
das Konzert, -e *concert*
das Tanzorchester, - *dance band*
die Diskothek, -en *disco*
bis *till*
geöffnet *open*
von … bis *from … till*
Achtung! *NB*
Nicht vergessen: … *Don't forget: …*
vergessen *to forget*
Morgen um 10.00 Uhr findet der
    Landausflug nach Kreta statt! *The
    shore excursion to Crete is at 10.00
    tomorrow.*
morgen *tomorrow*
der Landausflug, ⁼e *shore excursion*
nach *to*
stattfinden *to take place*

wie lange? *how long?*
Wann fängt die Gymnastik an?
When does the gymnastics start?
anfangen *to start*

Seite 53

Wie spät ist es? *What time is it?*
Lesen Sie erst die Uhrzeit. *First read the time.*
erst *first*
die Uhrzeit, -en *time*
Viertel nach zwölf *quarter past twelve*
das Viertel, - *quarter*
fünf nach halb drei *twenty-five to three*
die Mitternacht *midnight*
Sag mal, hast du heute Abend schon was vor? *Say, are you doing anything this evening?*
vorhaben *to have plans*
Nein, ich weiß noch nicht. *No, I don't know yet.*
wissen *to know*
Darf ich mitkommen? *Can I come along?*
mitkommen *to come along*
Tut mir Leid, aber ich habe keine Lust. *Sorry, but I don't feel like it.*
Leid tun: es tut mir Leid *I am sorry*
Lust haben *to feel like (doing something)*
Schön. Dann treffen wir uns um neun. *Fine. Then we'll meet at nine.*
treffen *to meet*
schade *pity*
in Ordnung *okay*
Vielleicht das nächste Mal. *Perhaps next time.*
das Mal, -e *time*
nächst- *next*
Gut. Bis dann! *Good. Till then!*
bis dann *till then*

Na gut, also dann tschüs. *Good, well cheerio then.*
na gut *good*
also *so*
tschüs *cheerio*
die Partnerübung, -en *pair work*
heute Abend *this evening*
was = etwas *something*
Wann fängt das denn an? *When does it start?*
morgen früh *tomorrow morning*
Hast du heute Abend Zeit? *Have you got time this evening?*
heute Nachmittag *this afternoon*

Seite 54

der Terminkalender, - *diary*
der Montag *Monday*
der Dienstag *Tuesday*
der Deutschkurs, -e *German class*
das Fernsehen *television*
der Mittwoch *Wednesday*
der Donnerstag *Thursday*
der Freitag *Friday*
die Wohnung, -en *flat*
der Sonnabend *Saturday*
der Sonntag *Sunday*
Montagabend *Monday evening*
Dienstagnachmittag *Tuesday afternoon*
leider *unfortunately*
Da muss ich … *Then I'll have to …*
da *then*
Manfred hat nie Zeit. *Manfred never has time.*
nie *never*
der Juli *July*
frei haben *to be free*
das Rockkonzert, -e *rock concert*
Hören Sie den Dialog noch einmal und sehen Sie Manfreds Terminkalender an.

Listen to the dialogue again and look at Manfred's diary.
Manfreds Terminkalender *Manfred's diary*

Seite 55

Liebe Ulla, … *Dear Ulla …*
lieb *dear*
herrlich *wonderful*
Ich stehe immer gegen neun Uhr auf und frühstücke in Ruhe. *I always get up around nine and have a leisurely breakfast.*
immer *always*
gegen neun Uhr *around nine o'clock*
Nachmittags gehe ich meistens surfen.
In the afternoon I mostly go surfing.
meistens *mostly*
Dann treffe ich fast immer Jörg. *Then I almost always meet Jörg.*
fast immer *almost always*
nett *nice*
Morgen mache ich mit Jörg einen Ausflug nach Granada. *Tomorrow I am going with Jörg on an excursion to Granada.*
der Ausflug, ¨e *excursion*
nach Granada *to Granada*
herzliche Grüße *best wishes*
der Gruß, ¨e *greeting*
Schreiben Sie eine Ansichtskarte. *Write a postcard*
die Ansichtskarte, -n *postcard*
spazieren gehen *to go for a walk*
Rad fahren *to cycle*
Ski fahren *to go skiing*
Tennis spielen *to play tennis*
feiern *to celebrate*

Seite 56

Ich schlage vor, wir gehen mal ins Kino.
I suggest we go to the cinema.
vorschlagen *to suggest*
mal *for once*
das Theater, - *theatre*
das Kabarett, -s *cabaret*
offen gesagt *to be honest*
Weißt du was? *Do you know what?*
zu Hause bleiben *to stay at home*
bleiben *to stay*
Das kostet wenigstens nichts.
At least that costs nothing.
wenigstens *at least*
nichts *nothing*
der Sport *sport*
das Yoga *yoga*
die Politik *politics*
der Fehler, - *mistake*
die Dummheit, -en *something stupid*
der Quatsch *nonsense*

Lektion 5

Seite 57

die Speisekammer, -n *larder*
das Kinderzimmer, - *children's room*
das Bad, ¨er *bathroom*
das Schlafzimmer, - *bedroom*
der Balkon, -s *balcony*
das Treppenhaus, ¨er *stairs*
der Flur, -e *hall*
das Wohnzimmer, - *living room*
die Terrasse, -n *terrace, patio*
der Hobbyraum, ¨e *hobby room*
der Keller, - *cellar*

Seite 58

Er ist Bankkaufmann von Beruf.
He works as a bank clerk.
der Bankkaufmann, Bankkaufleute
bank clerk
In zwei Wochen zieht er um. *In two
weeks time he is moving.*
in zwei Wochen *in two weeks*
die Woche, -n *week*
umziehen *to move*
Das Schlafzimmer und die Küche sind
ziemlich klein. *The bedroom and the
kitchen are rather small.*
ziemlich *rather*
Das Bad ist alt und hat kein Fenster.
The bathroom is old and has no window.
das Fenster, - window
Aber das Wohnzimmer ist sehr schön und
hell. *But the living room is very nice
and light.*
schön *nice*
Es hat sogar einen Balkon. *It even has a
balcony.*
sogar *even*
Michael Wächter ist zufrieden.
Michael Wächter is happy.
zufrieden *contented*
das Zimmer, - *room*
die Nummer, -n *number*
das Gästezimmer, - *guest room*
das Arbeitszimmer, - *study*
baden *to take a bath*

Seite 59

der Kleiderschrank, ¨-e *wardrobe*
der Sessel, - *easy chair*
die Kommode, -n *commode*
das Bücherregal, -e *book shelf*
der Teppich, -e *carpet*

der Spiegel, - *mirror*
der Schreibtisch, -e *desk*
der Esstisch, -e *dining table*
die Garderobe, -n *hall-stand*
der Vorhang, ¨-e *curtain*
für *for*
Was braucht Michael Wächter noch?
What else does Michael Wächter need?
was ... noch? *what else ...?*
Was hat er schon? *What does he already
have?*
schon *already*
Er braucht keine Regale. Er hat schon
welche. *He doesn't need shelves. He
has some already.*
welche *some*

Seite 60

Schau mal, hier sind Esstische.
Look, here are some dining tables.
schauen *to look*
Wie findest du den hier? *How do you
find this one?*
finden *to find*
Meinst du den da? *Do you mean that
one?*
meinen *to mean*
Der ist zu groß. *That one's too big.*
zu groß *too big*
Die sieht gut aus. *That one looks good.*
aussehen *to look, to appear*
der Definitartikel, - *definite article*
das Definitpronomen, - *definite
pronoun*
Den finde ich hässlich. *I find that one
ugly.*
hässlich *ugly*
unpraktisch *impractical*
teuer *expensive*
Die mag ich. *That one I like.*

26

Seite 61

Guck mal, hier gibt es Vorhänge.
Look, here are curtains.
gucken *to look (informal)*
Meine Mutter mag Kinder gern.
My mother likes children.
die Mutter, ⁻ *mother*
Zu Hause darf ich keine Musik hören.
At home I am not allowed to listen to music.
zu Hause *at home*
Jetzt bin ich sehr glücklich. *Now I am very happy.*
glücklich *happy*
frei *free*
Ich will jetzt mein Leben leben.
Now I want to live my own life.
das Leben *life*
Ich möchte nicht mehr zu Hause leben.
I don't want to live at (my parents') home any more.
nicht mehr *no more*

Seite 62

der Wohnungsmarkt *housing*
das Reihenhaus, ⁻er *terraced house*
4 Zi. = 4 Zimmer *4 rooms*
das Gäste-WC, -s *guest toilet*
die Sauna, Saunen *sauna*
der Garten, ⁻ *garden*
die Garage, -n *garage*
die Miete, -n *rent*
ab *from*
die Immobilie, -n *property*
ruhig *quiet*
in der Stadt *in the town*
die Fußbodenheizung, -en *under-floor heating*
das Traumhaus, ⁻er *dream house*

die Wohnküche, -n *kitchen-diner*
das WC, -s *WC*
der Mietvertrag, ⁻e *rental agreement*
fest *fixed*
der Bungalow, -s *bungalow*
einziehen *to move in*
der Luxus *luxury*
der Komfort *comfort*
m² = der Quadratmeter, - *square metre*
anrufen *to telephone*
die Dachterrasse, -n *roof terrace*
von *from*
willkommen *welcome*
die Tiefgarage, -n *underground garage*
der Aufzug, ⁻e *lift*
der Stock, Stockwerke *floor*
verdienen *to earn*
der Hausmeister, - *caretaker*
frei *available*
das Erdgeschoss, -e *ground floor*
die Toilette, -n *toilet*
pro Woche *per week*
die Woche, -n *week*
die Stunde, -n *hour*
die Hausmeisterarbeit, -en *work as a caretaker*
privat *private*
die Dachwohnung, -en *attic flat*
das Ehepaar, -e *married couple*
ohne *without*
das Duschbad, ⁻er *shower room*
nach *after*
Ergänzen Sie die Tabelle. *Fill in the table.*
die Tabelle, -n *table*
Was für Räume? *What sort of rooms?*
Das Haus liegt in Frankfurt-Eschersheim.
The house is in Frankfurt-Eschersheim.
Das Haus ist 126 Quadratmeter groß.
The house is 126 square metres in size.
der Quadratmeter, - *square metre*

Seite 63

das Familieneinkommen, - *family income*

Die Wohnung ist nicht schlecht, und sie kostet nur 798 Mark. *The flat is not bad, and it costs only 798 Mark.*

schlecht *bad*

Die Verkehrsverbindungen von Steinheim nach Frankfurt sind sehr schlecht. *It's difficult to get from Steinheim to Frankfurt*

die Verkehrsverbindungen *(Plural)* *public transport*

Morgens und nachmittags muss ich über eine Stunde fahren. *In the morning and afternoon I have to drive over an hour.*

über eine Stunde *over an hour*

Trotzdem – wir suchen weiter. Vielleicht haben wir ja Glück. *Still, we'll go on looking. Perhaps we'll be lucky.*

trotzdem *nevertheless*

weitersuchen *to go on looking*

das Glück *luck*

Sie liegt sehr günstig. *It's in a good place.*

günstig *favourable*

Wir bezahlen 1730 Mark kalt. *We are paying 1730 Mark plus bills.*

Ein Haus mit Garten ist unser Traum. *A house with a garden is our dream.*

der Traum, ˸e *dream*

Und die sind fast immer sehr teuer und liegen auch meistens außerhalb. *And most often these are very expensive and are usually outside the city, too.*

außerhalb *outside*

Mein Mann und ich, wir arbeiten beide in Frankfurt, und wir wollen hier auch wohnen. *My husband and I both work in Frankfurt, and we also want to live here.*

beide *both*

wollen *to want*

auch *also*

Eigentlich möchten wir gerne bauen, aber … *We'd really like to build, but …*

eigentlich *really*

bauen *to build*

In Frankfurt kann das niemand bezahlen. *In Frankfurt nobody can pay that much.*

niemand *nobody*

die Arzthelferin, -nen *doctor's assistant*

Suchen Sie eine Wohnung für Familie Höpke. *Find a flat for the Höpke family*

die Familie, -n *family*

Welches Haus möchten Herr und Frau Wiegand anschauen? *Wich house would Mr and Mrs Wiegand like to look at?*

anschauen *to look at*

die Traumwohnung, -en *dream flat*

Seite 64

der Streit *conflict*

Wir informieren Sie über wichtige Gerichtsurteile. *We tell you about important court rulings.*

informieren *to inform*

wichtig *important*

das Gerichtsurteil, -e *court ruling*

Vögel darf man auf dem Fensterbrett füttern. *You may feed birds on the window sill.*

der Vogel, ˸ *bird*

das Fensterbrett, -er *window sill*

füttern *to feed*

Aber keine Tauben, die machen zu viel Dreck. *But not pigeons. They make too much mess.*

die Taube, -n *pigeon*

der Dreck   *dirt*
An der Außenwand oder am Fenster dürfen Sie keine Politparolen aufhängen.
You must not fix political slogans to the
outside wall or the windows.
die Außenwand, ⁻e   *outside wall*
die Politparole, -n   *political slogan*
aufhängen   *to fix*
Von 13.00 bis 15.00 Uhr und von 22.00
Uhr bis 7.00 Uhr dürfen Sie im Haus
keinen Krach machen, und auch nicht
draußen im Hof oder im Garten.   *From*
1pm to 3pm and from 10pm to 7am you
must not make a noise in the house or
outside in the yard or garden.
der Krach   *noise*
draußen   *outside*
der Hof, ⁻e   *courtyard*
Aber man darf die Nachbarn nicht zu sehr
stören.   *But one must not disturb the*
neighbours too much.
der Nachbar, -n   *neighbour*
Ihr Partner oder Ihre Partnerin darf in
Ihrer Wohnung oder in ihrem
Appartement wohnen.   *Your partner*
may live in your flat.
die Partnerin, -nen   *partner (female)*
der Partner, -   *partner (male)*
das Appartement, -s   *flat*
Man muss den Vermieter nicht fragen.
You need not ask the landlord.
der Vermieter, -   *landlord*
verbieten   *to prohibit*
In einer Mietwohnung darf man ohne
Erlaubnis kein Geschäft betreiben und
keine Waren herstellen.   *In a rented*
flat you must not carry on a business or
manufacture anything without pemission.
die Mietwohnung, -en   *rented flat*
die Erlaubnis   *permission*
das Geschäft, -e   *business*

betreiben   *to engage in*
die Ware, -n   *goods*
herstellen   *to produce*
Verbietet Ihr Mietvertrag Haustiere?
Does your rental aggreement prohibit
pets?
der Mietvertrag, ⁻e   *rental agreement*
das Haustier, -e   *pet*
Auf dem Balkon oder auf der Terrasse
dürfen Sie grillen, aber Sie dürfen Ihre
Nachbarn nicht stören.   *You can have a*
barbecue on the balcony or on the
terrace, but you must not disturb your
neighbours.
grillen   *to have a barbecue*
Ohne Erlaubnis dürfen Sie auf dem Dach
oder am Schornstein keine Antenne
montieren.   *You must not fix an aerial*
on the chimney or on the roof without
permission.
das Dach, ⁻er   *roof*
auf dem Dach   *on the roof*
der Schornstein, -e   *chimney*
am Schornstein   *on the chimney*
die Antenne, -n   *aerial*
montieren   *to fix*
Sie müssen vorher Ihren Vermieter fragen.
You must ask your landlord beforehand.
vorher   *beforehand*
nachts   *at night*

Seite 65

Welche Bilder und welche Urteile passen
zusammen?   *Which pictures and which*
rulings fit together?
das Urteil, -e   *ruling*
zusammenpassen   *to go together*
der Dativ   *dative*
auf meiner Terrasse   *on my patio*
der Hausflur, -e   *hallway*

Seite 66

Haben Sie Ärger mit Nachbarn?
Do you have trouble with the neighbours?
der Ärger   *trouble*
das Mietshaus, ¨er   *block of flats*
das Hochhaus, ¨er   *high-rise block*
das Studentenheim, -e   *student halls of residence*
Meine Kinder sind noch klein und natürlich machen sie auch Lärm.
My children are still small, and of course they also make a noise.
der Lärm   *noise*
Ja, manchmal gibt es Ärger, aber dann diskutieren wir das Problem.
Yes, sometimes there's trouble, but then we discuss the problem.
diskutieren   *to discuss*
Am Ende ist immer alles okay.
In the end everything is okay.
das Ende, -n   *end*
Liebe Helga, …   *Dear Helga, …*
Endlich habe ich Zeit für eine Karte.
At last I have time for a card.
endlich   *at last*
Seit 6 Wochen haben wir ein Haus!
We have had a house for six weeks.
seit 6 Wochen   *for six weeks*
Endlich haben wir genug Platz.
At last we have enough room.
Platz haben   *to have room*
Komm doch bald mal nach Solingen.
Do come to Solingen soon.
bald   *soon*
Herzliche Grüße   *With best wishes*
herzlich   *warm*

Seite 67

das Strandhotel, -s   *Beach Hotel*
Urlaub auf der Ostseeinsel Hiddensee ist ein Erlebnis.   *A holiday on the Baltic island of Hiddensee is an experience.*
der Urlaub   *holiday*
die Ostseeinsel, -n   *Baltic island*
das Erlebnis, -se   *experience*
Es gibt keine Industrie und Autos dürfen auf der Insel nicht fahren, denn Hiddensee ist ein Naturschutzgebiet.
There is no industry, and cars are not permitted to drive on the island, because Hiddensee is a nature reserve.
die Industrie, -n   *industry*
die Insel, -n   *island*
das Naturschutzgebiet, -e   *nature reserve*
Die Strände sind sauber, die Wiesen und Wälder sind noch nicht zerstört.
The beaches are clean, the fields and woods are not yet ruined.
der Strand, ¨e   *beach*
sauber   *clean*
die Wiese, -n   *meadow, field*
der Wald, ¨er   *wood*
zerstört   *ruined*
Ruhe finden   *to find peace*
die Erholung   *relaxation*
Ein Erlebnis ist auch unser Strandhotel.
Our beach hotel is also an experience.
unser   *our*
Es liegt direkt am Strand und bietet viel Komfort.   *It is right on the beach and offers a high level of comfort.*
direkt   *direct*
bieten   *to offer*
das Hallenbad, ¨er   *indoor swimming pool*
der Privatstrand, ¨e   *private beach*
der Leseraum, ¨e   *reading room*

das Fernsehzimmer, - *television room*
1. Stock: … *first floor*
der Stock, Stockwerke *floor*
das Frühstückszimmer, - *breakfast room*
die Rezeption *reception*
die Telefonzelle, -n *telephone booth*
der Kiosk, -e *kiosk*
das Reisebüro, -s *travel agency*
ein Zimmer buchen *to book a room*
buchen *to book*
in der Sonne liegen *to lie in the sun*
die Sonne *sun*
einen Mietwagen leihen *to hire a car*
der Mietwagen, - *rented car*
leihen *to hire*
einen Ausflug buchen *to book an
excursion*
Touristeninformationen bekommen *to
get tourist information*
die Touristeninformation, -en *tourist
information*
bekommen *to get*

Seite 68

alternativ *alternative*
Herr Peißenberg zeigt seinen Gästen die
neue Wohnung. *Mr Peißenberg shows
his visitors the new flat.*
zeigen *to show*
Wie interessant! *How interesting!*
Was? – Sie kochen wirklich im
Schlafzimmer? *What? You really cook
in the bedroom?*
wirklich *really*
Und das hier, das ist wohl das Bad? *And
this here is presumably the bathroom.*
wohl *presumably*
Ja. Wir finden das sehr gemütlich. *Yes.
We find it very cosy.*
gemütlich *cosy*

Wissen Sie, wir leben nun mal alternativ.
*You see, we just happen to have an
alternative lifestyle.*
nun mal: nun mal leben *to happen to live*
O Gott! *Oh God.*
Auf Wiedersehen! *Goodbye.*
Vielen Dank! *Many thanks.*

Lektion 6

Seite 69

Was tun Sie für Ihre Gesundheit? *What
do you do for your health?*
tun für *to do for*
Ist Liebe die beste Medizin? *Is love the
best remedy?*
die Liebe *love*
die Medizin *remedy*
beste *best*
3 x täglich (dreimal täglich) *three times a
day*
täglich *daily*
Die Stirne kühl, die Füße warm, das macht
den reichsten Doktor arm. *Cool brow,
warm feet, make the richest doctor
poor.*
die Stirn, -en *oder* die Stirne, -n *brow*
kühl *cool*
der Fuß, ⸚e *foot*
reich *rich*
der Doktor, -en *doctor*
arm *poor*
Arzt für Allgemeinmedizin *general
practitioner*
der Arzt, ⸚e *doctor*
die Allgemeinmedizin *general medicine*
Sprechst.: Mo. Di. Mi. Fr. 8–11 u.
17–18.30 Uhr *Surgery Mon, Tues,
Wed, Fri 8-11 and 17-18.30 hrs.*

Sprechst. = die Sprechstunde, -n *surgery*
Donnerstags keine Sprechst. *No surgery on Thursdays.*
donnerstags *Thursdays*
Besser reich und gesund als arm und krank. *Better rich and healthy than poor and sick.*
gesund *healthy*
krank *sick*
Gesundheit ist das höchste Gut. *Health is the best possession.*
die Gesundheit *health*
höchste → hoch *highest* → *high*
das Gut, ̈er *possession*

Seite 70

die Hand, ̈e *hand*
der Kopf, ̈e *head*
der Arm, -e *arm*
das Auge, -n *eye*
die Nase, -n *nose*
der Mund, ̈er *mouth*
der Busen *breast*
der Bauch, ̈e *stomach*
das Bein, -e *leg*
der Fuß, ̈e *foot*
der Finger, - *finger*
das Ohr, -en *ear*
das Gesicht, -er *face*
der Zahn, ̈e *tooth*
der Hals, ̈e *neck*
die Brust, ̈e *chest*
der Rücken, - *back*
das Knie, - *knee*
der Zeh, -en *toe*
Frau Bartels hat jeden Tag eine Krankheit. *Frau Bartels has an illness every day.*
die Krankheit, -en *illness*
Montag kann sie nicht arbeiten, ihr Hals tut weh. *On Monday she cannot work, she has a sore throat.*

weh tun *to hurt*
Auto fahren *to drive a car*
Rad fahren *to cycle*
Fußball spielen *to play football*
der Fußball, ̈e *football*
gehen können *to be able to walk*

Seite 71

Er hat Zahnschmerzen. *He has toothache.*
die Zahnschmerzen (*Plural*) *toothache*
die Kopfschmerzen (*Plural*) *headache*
die Bauchschmerzen (*Plural*) *stomach ache*
Er ist erkältet. *He has a cold.*
erkältet sein *to have a cold*
Er hat Grippe. *He has flu.*
die Grippe *flu*
Sie hat Fieber. *She has a temperature.*
Fieber haben *to have a temperature*
der Durchfall *diarrhoea*
Hören Sie die Gespräche und kreuzen Sie an. *Listen to the conversations and place a cross in the right column.*
ankreuzen *to place a cross*
der Schnupfen *cold*
der Husten *cough*
… nimmt Hustenbonbons. *… takes cough sweets.*
das Bonbon, -s *sweet*
Wer bekommt diesen Rat? *Who gets this advice?*
der Rat, Ratschläge *advice*
Bleiben Sie im Bett. *Stay in bed.*
bleiben *to stay*
Nimm eine Tablette. *Take a tablet.* ·
die Tablette, -n *tablet*

Seite 72

Leser fragen – Dr. Braun antwortet
Readers ask – Dr Braun answers
der Leser, -   *reader*
Dr. Braun („Doktor Braun")   *Dr Braun*
Dr. med. C. Braun beantwortet Leser-
fragen über das Thema Gesundheit und
Krankheit.   *Dr C Braun answers*
readers' questions on the subject of
health and sickness.
beantworten   *to answer*
die Leserfrage, -n   *reader's question*
über   *about*
das Thema, Themen   *subject*
Schreiben Sie an das Gesundheitsmagazin.
Write to the health magazine.
das Gesundheitsmagazin, -e   *health*
magazine
Ihre Frage kann auch für andere Leser
wichtig sein.   *Your question can be*
important for other readers too.
die Frage, -n   *question*
andere Leser   *other readers*
wichtig   *important*
Sehr geehrter Herr Dr. Braun, …
Dear Dr Braun, …
sehr geehrter Herr …   *Dear Mr …*
sehr geehrte Frau …   *Dear Ms   …*
Mein Magen tut immer so weh.
My stomach always hurts so much.
der Magen, ⁼   *stomach*
Ich bin auch sehr nervös und kann nicht
schlafen.   *I am also very nervy and*
cannot sleep.
nervös   *nervy*
Er sagt nur, ich soll nicht so viel arbeiten.
He only says I should not work so much.
sollen   *to be supposed to*
so viel   *so much*
Aber das ist unmöglich.   *But that is*
impossible.

unmöglich   *impossible*
Ihre Schmerzen können sehr gefährlich sein.
Your pain could be very dangerous.
gefährlich   *dangerous*
Da kann ich leider keinen Rat geben.
Unfortunately I cannot give any advice.
einen Rat geben   *to give advice*
Sie müssen unbedingt zum Arzt gehen.
You must definitely go to a doctor.
unbedingt   *definitely*
Warten Sie nicht zu lange!   *Don't wait*
too long.
lange   *long*
Ich habe oft Halsschmerzen, und dann
bekomme ich immer Penizillin.
I often have a sore throat, and then I
always get penicilin.
oft   *often*
die Halsschmerzen *(Plural)*   *sore throat*
das Penizillin   *penicilin*
Sie wollen keine Antibiotika nehmen, das
verstehe ich.   *You don't want to take*
antibiotics, I understand that.
das Antibiotikum, Antibiotika   *antibiotic*
verstehen   *to understand*
Seien Sie dann aber vorsichtig!
But be careful.
vorsichtig   *careful*
Gehen Sie nicht oft schwimmen, trinken
Sie Kamillentee und machen Sie jeden
Abend Halskompressen.   *Don't go*
swimming often, drink camomile tea
and make throat compresses every
evening.
der Kamillentee   *camomile tea*
die Halskompresse, -n   *throat compress*
Vielleicht kaufen Sie ein Medikament aus
Pflanzen, zum Beispiel Echinacea-
Tropfen.   *Perhaps you could buy a*
herbal remedy, for example echinacea
drops.

das Medikament, -e *medicine*
die Pflanze, -n *plant*
das Beispiel, -e *example*
zum Beispiel *for example*
der Tropfen, - *drop*
die Apotheke, -n *chemist's*
Lieber Doktor Braun, …
    Dear Dr Braun ,...
Ich habe oft Schmerzen in der Brust,
    besonders morgens. *I often have*
    pains in the chest, especially in the
    morning.
der Schmerz, -en *pain*
Ich rauche nicht, ich trinke nicht, ich
    treibe viel Sport und bin sonst ganz
    gesund. *I don't smoke, I don't drink,*
    I do a lot of sport and am otherwise
    quite healthy.
Sport treiben *to do sport*
ganz *quite*
Was kann ich gegen die Schmerzen tun?
    What can I do about the pain?
gegen *against*
Ihr Arzt hat Recht. *Your doctor is right.*
Recht haben *to be right*
Magenschmerzen, das bedeutet Stress!
    Stomach ache, that means stress.
die Magenschmerzen *(Plural)* *Stomach*
    ache
bedeuten *to mean*
der Stress *stress*
Vielleicht haben Sie ein Magengeschwür.
    Perhaps you have a stomach ulcer.
das Magengeschwür, -e *stomach ulcer*
Das kann schlimm sein! *That can be*
    bad.
schlimm *bad*
Welcher Leserbrief und welche Antwort
    passen zusammen? *Which letter and*
    which answer go together?
der Leserbrief, -e *reader's letter*

die Antwort, -en *answer*
zusammenpassen *to match*

Seite 73

die Brustschmerzen *(Plural)* *breast pain*
die Halsschmerzen *(Plural)* *sore throat*
die Magenschmerzen *(Plural)* *stomach*
    ache
Welche Ratschläge gibt Dr. Braun?
    What advice does Dr Braun give?
der Ratschlag, ¨-e *advice*
einen Ratschlag geben *to give advice*
Frau E. soll vorsichtig sein. *Mrs E*
    should be careful.
vorsichtig *careful*
fett essen *to eat fatty foods*
Ich habe ein Magengeschwür. *I have a*
    stomach ulcer.
das Magengeschwür, -e *stomach ulcer*
Oh ja, das soll ich sogar. *Oh yes, I'm*
    supposed to.
oh ja *oh yes*
sogar *even*
Eis essen *to eat ice cream*
die Schokolade, -n *chocolate*
die Verstopfung *constipation*
das Obst *fruit*
zu dick sein *to be too fat*
dick *fat*
zu viel Cholesterin haben *to have too*
    much cholesterol
das Cholesterin *cholesterol*
die Margarine *margarine*
beim Arzt *at the doctor's*
Hören Sie zu und beantworten Sie die
    Fragen. *Listen and answer the*
    questions.
beantworten *to answer*

Seite 74

die Schlafstörung, -en   *broken night*
Tipps für eine ruhige Nacht   *Tips for a quiet night*
der Tipp, -s   *tip*
ruhig   *quiet*
die Nacht, ¨e   *night*
Jeden Morgen das Gleiche: ...
   Every morning the same thing: ....
das Gleiche   *the same thing*
Der Wecker klingelt, doch Sie sind müde und schlapp.   *The alarm clock rings, but you are tired and listless.*
der Wecker, -   *alarm clock*
klingeln   *to ring*
müde   *tired*
schlapp   *listless*
Sie möchten gern weiterschlafen – endlich einmal ausschlafen ...   *You would like to go on sleeping – to have a really good sleep for once ...*
weiterschlafen   *to go on sleeping*
endlich   *at last*
einmal   *for once*
ausschlafen   *to have a good long sleep*
Für jeden vierten Deutschen (davon mehr als zwei Drittel Frauen) sind die Nächte eine Qual.   *For every fourth German (more than two thirds of them women) the nights are a torture.*
das Drittel, -   *two thirds*
die Qual, -en   *torture*
Sie können nicht einschlafen oder wachen nachts häufig auf.   *They cannot get to sleep or wake up often during the night.*
einschlafen   *to go to sleep*
aufwachen   *to wake up*
nachts   *at night*
häufig   *frequently*

Gegen Schlafstörungen soll man unbedingt etwas tun.   *Against broken nights one should definitely take some action.*
unbedingt   *definitely*
Zuerst muss man die Ursachen kennen.   *First one must know the causes.*
die Ursache, -n   *cause*
kennen   *to know*
Ein schweres Essen am Abend, zu viel Licht oder ein hartes Bett können den Schlaf stören.   *A heavy meal in the evening, too much light or a hard bed can disturb sleep.*
schwer   *heavy*
zu viel   *too much*
das Licht, -er   *light*
hart   *hard*
der Schlaf   *sleep*
stören   *to disturb*
Manchmal sind aber auch Angst, Stress oder Konflikte die Ursache.   *But sometimes fear, stress or conflicts can be the cause.*
die Angst, ¨e   *fear*
der Stress   *stress*
der Konflikt, -e   *conflict*
die Ursache, -n   *cause*
Gehen Sie abends spazieren oder nehmen Sie ein Bad (es muss schön heiß sein!)   *Go for a walk in the evening or take a bath (it must be nice and hot!)*
ein Bad nehmen   *to take a bath*
heiß   *hot*
Die Luft im Schlafzimmer muss frisch sein.   *The air in the bedroom must be fresh.*
die Luft   *air*
frisch   *fresh*
Das Zimmer muss dunkel sein und darf höchstens 18 Grad warm sein.   *The room must be dark and no more*

than l8 degrees warm.
dunkel   dark
höchstens   at most
der Grad, -e   degree
Nehmen Sie keine Medikamente.
Do not take any medicines.
das Medikament, -e   medicine
Trinken Sie lieber einen Schlaftee.
Drink a sleeping tea instead.
lieber: lieber … trinken
to drink … instead
der Schlaftee, -s   sleeping tea
Auch ein Glas Wein, eine Flasche Bier
oder ein Glas Milch mit Honig können
helfen.   *A glass of wine, a bottle of*
beer or a glass of milk with honey can
also help.
der Honig   honey
helfen   to help
Sie stehen dann auf dem Papier und stören
nicht Ihren Schlaf.   *Then they stay on*
the page and do not disturb your sleep.
stehen   to stand
das Papier, -e   paper
Machen Sie Meditationsübungen oder
Yoga.   *Do meditation exercises or*
yoga.
die Meditationsübung, -en   meditation
exercise
das Yoga   yoga
Welche Ratschläge können Sie geben?
What advice can you give?
der Ratschlag, ⁝e   advice
einen Ratschlag geben   to give advice
die Erkältung, -en   cold
die Vitamintablette, -n   vitamin tablets
die Kreislaufstörung, -en   circulatory
trouble

Jochen ist erkältet und hat Fieber.
Jochen has a cold and a temperature.
erkältet sein   to have a cold
Rolf und Jochen spielen zusammen in
einer Fußballmannschaft.   *Rolf and*
Jochen play together in a football
team.
die Fußballmannschaft, -en   football
team
Am Samstag ist ein sehr wichtiges Spiel.
There is an important match on
Saturday.
das Spiel, -e   match
Jochen soll unbedingt mitspielen.
Jochen should definitely play.
unbedingt   definitely
mitspielen   to play (with others)
Seine Mannschaft braucht Jochen, denn er
spielt sehr gut.   *Jochen's team needs*
him, because he plays very well.
die Mannschaft, -en   team
Rekonstruieren Sie dann den Dialog.
Then reconstruct the dialogue.
rekonstruieren   to reconstruct
Der Text auf der Kassette ist nicht genau
gleich!   *The text on the cassette is not*
exactly the same!
genau   exactly
gleich   the same
90 Minuten kannst du bestimmt spielen.
You can surely play 90 minutes.
bestimmt   surely
Ach, dein Arzt! Komm, spiel doch mit.
Oh, your doctor! Come on, play!
Ein bisschen Fieber, das ist doch nicht so
schlimm.   *A bit of a temperature,*
that's not so bad.
ein bisschen   a bit
schlimm   bad

nicht. *I would like to, but I really can't.*

wirklich *really*

Also gute Besserung! *Well, get well soon!*

Gute Besserung! *Get well soon!*

Schreiben Sie einen ähnlichen Dialog mit Ihrem Nachbarn. *Write a similar dialogue with your neighbour.*

der Nachbar, -n *neighbour*

Er spielt in einer Jazzband Trompete. *He plays the trumpet in a jazz band.*

die Jazzband, -s *jazz band*

die Trompete, -n *trumpet*

Am Wochenende müssen sie spielen. *They have to play at the weekend.*

das Wochenende, -n *weekend*

Frau Wieland ist Buchhalterin. *Frau Wieland is a bookkeeper.*

die Buchhalterin, -nen *bookkeeper*

Ihr Chef, Herr Knoll, ruft an. *Her boss, Mr Knoll, rings up.*

der Chef, -s *boss*

anrufen *to phone*

Sie soll kommen, denn es gibt Probleme in der Buchhaltung. *She should come in, because there is a problem in the bookkeeping.*

die Buchhaltung *bookkeeping*

Seite 76 und 77

Mensch, Lisa, was hast du denn gemacht? *Hey, Lisa, what have you done?*

Mensch, Lisa! *Hey, Lisa!*

Was ist denn bloß passiert? *What on earth happened?*

Na ja, es ist Samstag passiert … *Well, it happened on Saturday …*

passieren *to happen*

Und was ist nun wirklich passiert? *And what really happened?*

wirklich *really*

Ordnen Sie die Bilder. *Put the pictures in the right order.*

ordnen *to arrange*

Es gibt drei Geschichten. *There are three stories.*

die Geschichte, -n *story*

Erzählen Sie die Geschichten mit Ihren Worten: … *Tell the stories in your own words: …*

das Wort, -e *word (connected context)*

das Wort, ̈er *word (in isolation, e.g. in a dictionary)*

Dann habe ich die Bierflaschen nach unten gebracht. *Then I took the beer bottles downstairs.*

die Bierflasche, -n *beer bottle*

nach unten *downstairs*

Mensch, da habe ich laut geschrien. *Boy, did I scream.*

laut *loud(ly)*

schreien *to scream*

Meine Kollegin ist gekommen und hat geholfen. *My colleague came and helped.*

die Kollegin, -nen *colleague*

Plötzlich ist meine Hand in die Maschine gekommen. *Suddenly my hand got into the machine.*

plötzlich *suddenly*

Meine Freundin hat den Arzt geholt. *My friend called the doctor.*

Das Bein ist gebrochen. *The leg is broken.*

gebrochen sein *to be broken*

Ich bin wieder aufgestanden. *I got up again.*

aufstehen *to get up*

aufstehen *to get up*
Dann bin ich hingefallen. *Then I fell.*
hinfallen *to fall*

Was braucht man im Winterurlaub?
What do you need for a winter holiday?
der Winterurlaub *winter holiday*
die Skihose, -n *ski pants*
der Schal, -s *scarf*
die Mütze, -n *cap*
der Pullover, - *pullover*
der Krankenschein, -e *sickness insurance certificate*
das Verbandszeug *first aid kit*
das Medikament, -e *medicine*
der Handschuh, -e *glove*
das Pflaster, - *sticking plaster*
die Skibrille, -n *skiing goggles*
das Briefpapier *notepaper*
Sie wollen dort Ski fahren. *They want to go skiing there.*
der Ski, -er *ski*
Sie packen ihre Koffer. *They are packing their cases.*
packen *to pack*
der Koffer, - *suitcase*
Nehmt die Skihosen mit! *Take your ski pants with you.*
mitnehmen *to take with one*
Packt auch die Schals ein! *Pack the scarves too.*
einpacken *to pack*
der Schal, -s *scarf*
Vergesst die Mützen nicht! *Don't forget the caps.*
vergessen *to forget*
Am Bahnhof *At the station*
der Bahnhof, ¨e *station*
Nein, ihre Skihosen haben sie nicht dabei.

No, they don't have their ski pants with them.
dabeihaben *to have with one*

Der Skikurs hat drei Wochen gedauert.
The ski course lasted three weeks.
der Skikurs, -e *ski course*
dauern *to last*
Hier das Tagesprogramm: ... *Here is the daily programme: ...*
das Tagesprogramm, -e *daily programme*
Skikurs Anfänger 3 *Ski course Beginners 3*
der Anfänger, - *beginner*
der Skiunterricht *skiing instruction*
Aber ein Tag war ein Unglückstag.
But one day was a bad day.
der Unglückstag, -e *bad day*

Der eingebildete Kranke
The hypochondriac
eingebildet *imagined*
der Kranke, -n *invalid*
So? Wo fehlt's denn? *So? Where's the problem?*
der Unsinn *nonsense*
wenig *little*
Das heißt, Sie haben keinen Appetit?
That means you have little appetite?
der Appetit *appetite*
Appetit haben *to have an appetite*
Oh doch! Ich esse zwar wenig, aber das dann mit viel Appetit. *Oh yes! I eat very little, but that with great appetite.*
zwar ..., aber ... *certainly ..., but ...*
Ich habe immer einen furchtbaren Durst.

38

I always have a terrible thirst.
furchtbar   *terrible*
der Durst   *thirst*
Na ja, ich schwitze sehr viel.   *Well, I sweat a lot.*
schwitzen   *to sweat*
Wissen Sie, ich laufe ständig zum Arzt.
   You see, I keep running to the doctor.
Wissen Sie, …   *You see, …*
laufen   *to run*
ständig   *constantly*
Wo sind Sie versichert?   *Where are you insured?*
versichert sein   *to be insured*
Ich schicke Ihnen dann die Rechnung!
   Then I'll send you the bill.
schicken   *to send*
die Rechnung, -en   *bill*
Sehen Sie, Herr Doktor, jetzt schwitze ich
   schon wieder …   *You see, Doctor, now
   I'm sweating again …*
Sehen Sie, …   *You see, …*
schon wieder   *again*

Lektion 7

Seite 81

der Brief, -e   *letter*
das Fahrrad, ⁻er   *bicycle*
das Theater, -   *theatre*
ein Bild malen   *to paint a picture*
das Bild, -er   *picture*
malen   *to paint*
Blumen gießen   *to water the flowers*
die Blume, -n   *flower*
gießen   *to water, to pour*
essen gehen   *to go out for a meal*

Seite 82

Was haben die Personen gerade
   gemacht?   *What have these people just
   done?*
gerade   *just*
geheiratet   *married*
heiraten   *to get married*
gefallen   *fallen*
fallen   *to fall*
Was haben die Leute am Wochenende
   gemacht?   *What did these people do at
   the weekend?*
das Wochenende, -n   *weekend*
Besuch gehabt   *had visitors*
der Besuch, -e   *visitor*
für eine Prüfung gelernt   *studied for an
   exam*
die Prüfung, -en   *examination*
lernen   *to learn*
Hören Sie zu.   *Listen.*
zuhören   *to listen*
Überlegen Sie: …   *Think about it: …*
überlegen   *to consider*
Was haben die Leute vielleicht außerdem
   gemacht?   *What else could these
   people have done?*
außerdem   *else*
das Perfekt   *Perfect*

Seite 83

Grüß dich!   *Hello!*
Was hast du eigentlich Mittwochnach-
   mittag gemacht?   *What did you do on
   Wednesday afternoon?*
eigentlich   *actually*
Wir waren doch verabredet.   *We had a
   date.*
verabredet sein   *to have a date, an
   appointment*

Das habe ich total vergessen. *I totally*
forgot it.
total *totally*
Mittag *mid-day*
wegfahren *to go out*
Perfekt: trennbare Verben *Perfect:*
separable verbs
trennbar *separable*
das Verb, -en *verb*
Wer hat das erlebt? *Who has had this*
experience?
erleben *to experience*
… hat ein Mädchen kennen gelernt.
… *met a girl.*
kennen lernen *to get to know*
… hat zwei Wochen im Krankenhaus
gelegen. … *spent two weeks in*
hospital.
das Krankenhaus, -̈er *hospital*
… hatte einen Autounfall. … *had a car*
accident.
der Autounfall, -̈e *car accident*
… ist Vater geworden. … *became a father.*
der Vater, -̈ *father*
der Januar *January*
der Februar *February*
der März *March*
der April *April*
der Mai *May*
der Juni *June*
der Juli *July*
der August *August*
der September *September*
der Oktober *October*
der November *November*
der Dezember *December*
das Präteritum *Preterite*
Was haben Sie letztes Jahr erlebt?
What did you experience last year?
letzt- *last*
erleben *to experience*

Seite 84

Haben Sie schon gehört …?
Have you heard …?
hören *to hear (about)*
Ja, sie hatte einen Unfall. *Yes, she had*
an accident.
der Unfall, -̈e *accident*
Aber sie muss wohl ein paar Tage im Bett
bleiben. *But she may have to stay in*
bed for a few days.
ein paar *a few*
Die Sache mit Frau Soltau? *About Frau*
Soltau?
die Sache, -n *matter*
Sie ist die Treppe hinuntergefallen.
She fell down the stairs.
die Treppe, -n *stairs*
hinunterfallen *to fall*
Man hat sie operiert. *They operated on*
her.
operieren *to operate*
Das ist ja schrecklich! *That's terrible.*
schrecklich *terrible*
Wer hat das erzählt? *Who said that?*
erzählen *to tell*
Hier sind ein paar Möglichkeiten.
Here are a few possibilities.
die Möglichkeit, -en *possibility*
Frau Kuhn hat im Lotto gewonnen.
Frau Kuhn has won in a lottery.
das Lotto *lottery*
gewinnen *to win*
Sie hat gekündigt und will eine Weltreise
machen. *She has given in her notice*
and wants to go on a trip round the
world.
kündigen *to give notice*
die Weltreise, -n *world trip*
… aber ihr Mann ist ausgezogen.
… *but her husband has moved out.*

40

der Mann, ⸗er *husband*
ausziehen *to move out*
Zwei Polizisten waren bei Herrn Janßen.
  *Two policemen have been to see Herr
  Janßen.*
der Polizist, -en *policeman*
bei *at the home of*
Sie haben geklingelt. *They rang the bell.*
klingeln *to ring*
Die Polizisten sind wieder gegangen. *The
  policemen went away again.*
wieder *again*

Seite 85

Kennen Sie das auch? *Is this familiar?*
kennen *to know*
Habt ihr die Zähne geputzt? *Have you
  cleaned your teeth?*
putzen *to clean*
Habt ihr eure Schularbeiten gemacht?
  Have you done your homework?
die Schularbeiten *(Plural)* *homework*
Na klar! *Of course!*
Klar! *Certainly!*
Selbstverständlich! *Naturally!*
Was fragen die Kinder und der Vater?
  *What do the children and the father
  ask?*
der Vater, ⸗ *father*
Hast du die Blumen gegossen? *Have you
  watered the flowers?*
die Blume, -n *flower*
gießen *to water, to pour*
Licht in der Garage ausmachen *switch off
  light in the garage*
das Licht, -er *light*
ausmachen *to switch off*
Lehrerin anrufen *phone teacher*
die Lehrerin, -nen *teacher (female)*
Bad putzen *clean bath*

putzen *to clean*
Heizung anstellen *switch on heating*
die Heizung *heating*
anstellen *to switch on*
Katze füttern *feed cat*
die Katze, -n *cat*
füttern *to feed*
Schulhefte kaufen *to buy exercise books*
das Schulheft, -e *exercise book*
Waschmaschine abstellen *to turn off the
  washing machine*
abstellen *to turn off*
Knopf annähen *to sew on a button*
der Knopf, ⸗e *button*
annähen *to sew on*
Räumt den Keller doch selbst auf! *Tidy
  the cellar yourselves!*
selbst *yourself, yourselves*
Dazu habe ich keine Lust. *I don't feel
  like it.*
Lust haben *to feel like*

Seite 86

Die Kinder abgeholt und nach Hause
  gebracht *fetched the children and
  brought them home*
abholen *to fetch*
nach Hause *home*
In den Supermarkt gegangen *went to the
  supermarket*
der Supermarkt, ⸗e *supermarket*
Jens mitgenommen *taken Jens with her*
mitnehmen *to take with (one)*
Jens in den Kindergarten und Anna in die
  Schule gebracht *taken Jens to the
  nursery and Anna to school*
der Kindergarten, ⸗ *nursery*
Karl zur Haltestelle gebracht und ins Büro
  gefahren *taken Karl to the bus stop
  and driven to the office*

zur Haltestelle *to the bus stop*
das Büro, -s *office*
Die Kinder ins Bett gebracht *put the children to bed*
ins Bett bringen *to put to bed*
Briefe beantwortet, telefoniert, Bestellungen bearbeitet *answered letters, telephoned, dealt with orders*
beantworten *to answer*
telefonieren *to telephone*
die Bestellung, -en *order*
bearbeiten *to deal with*
Jens und Anna geweckt und angezogen *woken and dressed Jens and Anna*
wecken *to wake*
anziehen *to dress*
Die Freundin von Anna nach Hause gebracht *taken Anna's friend home*
die Freundin, -nen *(girl) friend*
nach Hause *home*
Ordnen Sie zuerst nach der Uhrzeit. *Sort first of all according to the time.*
zuerst *first of all*
die Uhrzeit, -en *time*
von 8.30 bis 12.00 Uhr *from 8.30 to 12 o'clock*
von … bis … *from … to …*

Seite 87

Frau Winter hat für ihren Mann zwei Zettel geschrieben. *Frau Winter has written two notes for her husband.*
der Zettel, - *note*
Er kann das nicht allein. *He can't do that by himself.*
allein *alone*
Spätestens um 14.30 Uhr die Hausaufgaben machen lassen. *Get her to do her homework by 2.30 at the latest.*
spätestens *latest*

die Hausaufgaben *(Plural)* *homework*
machen lassen *to get someone to do something*
Um 16 Uhr in die Musikschule bringen. *Take her to the music school at 4.30.*
die Musikschule, -n *music school*
das Personalpronomen, - *personal pronoun*

Seite 88

Junge (8 Jahre) auf Autobahnraststätte einfach vergessen! *Boy (8) simply forgotten at the motorway services*
die Autobahnraststätte, -n *motorway services*
einfach *simply*
Am Samstagmorgen um 3.30 Uhr war der achtjährige Dirk W. mutterseelenallein auf einem Rastplatz an der Autobahn Darmstadt-Frankfurt. *On Saturday morning at 3.30am eight-year-old Dirk W was all alone on a picnic area on the Darmstadt-Frankfurt motorway.*
der Samstagmorgen *Saturday morning*
mutterseelenallein *all alone*
der Rastplatz, ⁻e *picnic area*
die Autobahn, -en *motorway*
Seine Eltern waren versehentlich ohne ihn abgefahren. *His parents had driven off without him by mistake.*
versehentlich *by mistake*
abfahren *to drive off*
Lesen Sie die drei Texte. *Read the three texts.*
der Text, -e *text*
Dirk ist mit seinen Eltern und seiner Schwester nachts um 12 Uhr von Stuttgart losgefahren. *Dirk left Frankfurt with his parents and his sister at midnight.*
losfahren *to drive off*

42

Er und seine Schwester waren müde und
haben auf dem Rücksitz geschlafen.
*He and his sister were tired and slept on
the back seat.*
müde   *tired*
der Rücksitz, -e   *back seat*
Auf einmal ist Dirk aufgewacht.
Suddenly Dirk woke up.
auf einmal   *suddenly*
aufwachen   *to wake up*
Das Auto war geparkt, und seine Eltern
waren nicht da.   *The car was parked,
and his parents were not there.*
parken   *to park*
da sein   *to be there*
Auf dem Parkplatz war eine Toilette.
On the car park was a toilet.
der Parkplatz, -e   *car park*
Dirk ist ausgestiegen und auf die Toilette
gegangen.   *Dirk got out and went to
the toilet.*
aussteigen   *to get out*
Dann ist er zurückgekommen und das
Auto war weg.   *Then he returned, and
the car was gone.*
zurückkommen   *to return*
weg sein   *to have gone*
Er hat auf dem Rücksitz gesessen und
Musik gehört.   *He sat on the back seat
and listened to music.*
sitzen   *to sit*
Dann hat sein Vater auf dem Parkplatz
angehalten und ist auf die Toilette
gegangen.   *Then his father stopped in
the car park and went to the toilet.*
anhalten   *to stop*
Es war dunkel, und Dirk hatte auf einmal
Angst allein im Auto.   *It was dark,
and Dirk was suddenly afraid alone in
the car.*
dunkel   *dark*

Angst haben   *to be afraid*
Er ist ausgestiegen und hat seinen Vater
gesucht.   *He got out and went to look
for his father.*
suchen   *to look for*
Zuerst haben die Kinder noch gespielt,
aber dann sind sie auf dem Rücksitz
eingeschlafen.   *First of all the children
played, but then they went to sleep on
the back seat.*
einschlafen   *to fall asleep*
Plötzlich ist Dirk aufgewacht.   *Suddenly
Dirk woke up.*
aufwachen   *to wake up*
Es war still und sein Vater war nicht
mehr im Auto.   *It was all quiet, and
his father was no longer in the car.*
still   *silent*
Dann ist er wiedergekommen und das
Auto war weg.   *Then he came back,
and the car was gone.*
wiederkommen   *to return*
Hören Sie den Bericht von Dirk.
Listen to Dirk's account.
der Bericht, -e   *account*
Welcher Text erzählt die Geschichte
richtig?   *Which text tells the story
correctly?*
der Text, -e   *text*
richtig   *correctly*

Seite 89

Dort sind wir ein bisschen spazieren
gegangen.   *There we went for a little
walk.*
ein bisschen   *a little*
Dann sind wir weitergefahren, …
Then we drove on …
weiterfahren   *to drive on*

... und wir haben miteinander gesprochen.
... and we spoke to each other.
miteinander   *to each other*
Um 5.00 Uhr haben wir die Suchmeldung
im Radio gehört.   *At 5.00 we heard the*
appeal in the radio.
die Suchmeldung, -en   *appeal*
... hat uns ein Polizeiauto angehalten.
... a police car stopped us.
das Polizeiauto, -s   *police car*
anhalten   *to stop*
... haben wir auf einmal gemerkt: Dirk ist
nicht da!   *... we suddenly noticed:*
Dirk isn't there!
auf einmal   *suddenly*
merken   *to notice*
Dann haben wir sofort mit der Polizei
telefoniert und Dirk abgeholt.
Then we phoned the police and
fetched Dirk.
die Polizei   *police*
... sind wir sofort zurückgefahren und
haben Dirk gesucht.   *... we went back*
at once and looked for Dirk.
zurückfahren   *to drive back*
rufen   *to call*
geben   *to give*
kalt   *cold*
denn   *because*
die Jacke, -n   *jacket*
die Angst, -e   *fear*
leer   *empty*
später   *later*
sofort   *at once*
die Polizeistation, -en   *police station*
warm   *warm*
nett   *kind*
gleich   *in a minute*
bald   *soon*

Ich bin gerade drei Tage auf Geschäftsreise in Wien.   *I am (just) in Vienna*
for three days on business.
die Geschäftsreise, -n   *business trip*
Die Stadt ist wie immer wunderschön.
The city is wonderful as always.
die Stadt, -e   *city*
wunderschön   *wonderful*
Diesmal habe ich etwas Zeit.
This time I have some time.
diesmal   *this time*
Gestern war ich im Stephansdom.
Yesterday I was in St. Stephen's
Cathedral.
gestern   *yesterday*
Heute bin ich im Prater spazieren
gegangen ...   *Today I went for a walk*
in the Prater ...
der Prater   *the Prater (park)*
... und dann habe ich im Hotel Sacher
Kaffee getrunken und drei Stück
Sachertorte gegessen.   *... and then I*
drank coffee at the Hotel Sacher and ate
three pieces of Sachertorte.
die Sachertorte, -n   *Sachertorte (Hotel*
Sacher special recipe gateau)
Bis jetzt habe ich ja viel Pech gehabt in
dieser Wohnung: ...   *Up to now I have*
had a lot of bad luck in this flat: ...
Pech haben   *to have bad luck*
Zuerst sind die Vormieter drei Wochen zu
spät ausgezogen, ...   *For a start, the*
previous tenants moved out three weeks
too late.
der Vormieter, -   *previous tenant*
... und dann haben die Handwerker viele
Fehler gemacht.   *... and then the*
workmen made a lot of mistakes.
der Handwerker, -   *workman*

44

der Fehler, - *mistake*
Der Maler hat für die Türen die falsche
Farbe genommen. *The painter used
the wrong colour for the doors.*
der Maler, - *painter*
die Tür, -en *door*
falsch *wrong*
die Farbe, -n *colour, paint*
Der Tischler hat ein Loch in die Wand
gebohrt und gleich die Elektroleitung
kaputtgemacht. *The carpenter drilled
a hole in the wall and immediately
damaged the electric wiring.*
der Tischler, - *carpenter*
das Loch, ⸚er *hole*
die Wand, ⸚e *wall*
bohren *to drill*
gleich *straight away*
die Elektroleitung, -en *electric wiring*
kaputtmachen *to break*
Die Teppichfirma hat einen Teppich mit
Fehlern geliefert. *The carpet firm
delivered a carpet with flaws.*
die Teppichfirma, Teppichfirmen
carpet firm
mit *with*
der Fehler, - *flaw*
liefern *to deliver*
Ich habe sofort reklamiert, aber bis jetzt
hat es nicht geholfen. *I complained at
once, but so far this has not helped.*
reklamieren *to complain*
bis jetzt *up to now*
helfen *to help*
Es hat wirklich viel Ärger gegeben.
There really has been a lot of bother.
der Ärger *bother*
Aber mein Nachbar, Herr Driesen, ist sehr
nett. *But my neighbour, Herr Driesen,
is very kind.*
der Nachbar, -n *neighbour*

Er hat die Lampen montiert.
He installed the lamps.
montieren *to install*
Die Waschmaschine habe ich selbst
angeschlossen. *I connected up the
washing machine myself.*
anschließen *to connect*
In der Küche funktioniert jetzt alles.
*In the kitchen everything is now
working.*
alles *everything*
Willst du nicht nächste Woche mal
vorbeikommen? *Why don't you come
round next week?*
vorbeikommen *to come round*
nächste Woche *next week*
Bis bald! *See you soon!*

Seite 91

An ihrer Wohnungstür findet sie einen
Zettel. *On the door of her flat she
finds a note.*
die Wohnungstür, -en *flat door*
Sehen Sie die Bilder an. *Look at the
pictures.*
ansehen *to look at*
Hören Sie zu und machen Sie Notizen.
Listen and make notes.
Notizen machen *to make notes*
der Waschmaschinenschlauch, ⸚e
washing machine hose
das Geräusch, -e *noise*
der Boden, ⸚ *floor*
wischen *to wipe*
einschlagen *to break in*
tropfen *to drip*
einsteigen *to get in*
die Decke, -n *ceiling*

Nur einer fragt. *Only one asks the questions.*

einer *one*

Gestern, Herr Vorsitzender, habe ich nichts gemacht. *Yesterday, your honour, I did nothing.*

der Vorsitzende, -n *chairman*

Nun, irgendwas haben Sie doch sicher gemacht. *Well, you must have done something.*

irgendwas *something or other*

sicher *surely*

Nein, Herr Vorsitzender, ganz bestimmt nicht. *No, your honour, really and truly not.*

ganz bestimmt *really and truly*

Nun denken Sie mal ein bisschen nach, Herr Krause. *Think back a bit, Herr Krause.*

nachdenken *to think back*

Das tue ich ja, Herr Vorsitzender, ich denke schon die ganze Zeit nach. *I'm doing so, your honour, I'm thinking back all the time.*

tun *to do*

Na also! *Well then!*

Herr Krause – hier stelle ich die Fragen! *Herr Krause – I'm asking the questions here.*

Fragen stellen *to ask questions*

Lektion 8

die Bäckerei, -en *bakery*
das Café, -s *cafe*
die Apotheke, -n *chemist's*
die Metzgerei, -en *butcher's*
das Fotostudio, -s *photographic studio*
das Reisebüro, -s *travel agency*
das Hotel, -s *hotel*
die Bank, -en *bank*
die Reinigung, -en *dry cleaner*
die Buchhandlung, -en *bookshop*
die Post *post office*

der Getränkemarkt, ⁼e *liquor store (Am.), off-licence (Brit.)*
der Supermarkt, ⁼e *supermarket*
der Park, -s *park*
der Bahnhof, ⁼e *station*
der Marktplatz, ⁼e *market square*
der Markt, ⁼e *market*
der Platz, ⁼e *square*
die Autowerkstatt, ⁼en *garage*
die Bibliothek, -en *library*
die Telefonzelle, -n *telephone booth*
die Diskothek, -en *disco*
das Blumengeschäft, -e *florist's*
das Textilgeschäft, -e *draper's*
das Schwimmbad, ⁼er *swimming pool*
das Kino, -s *cinema*
das Restaurant, -s *restaurant*
das Museum, Museen *museum*
das Rathaus, ⁼er *town hall*
die Kirche, -n *church*
der Parkplatz, ⁼e *car park*

Seite 95

die Dialogübung, -en   *dialogue practice*
das Getränk, -e   *drink*
die Kleidung   *clothes*
der Film, -e   *film*
die Briefmarke, -n   *stamp*
das Arzneimittel, -   *medicines*
reparieren   *to repair*
das Passbild, -er   *passport photo*
reinigen   *to clean*
Geld abheben   *to withdraw money*
Geld einzahlen   *to pay in money*
Geld wechseln   *to change money*
die Fahrkarte, -n   *ticket*
das Buch, ⁻er   *book*
leihen   *to borrow*
der Pass, ⁻e   *passport*
übernachten   *to spend the night*
die Reise, -n   *journey*

Seite 96

Was möchte Herr Kern erledigen?
What does Herr Kern want to do?
erledigen   *to deal with*
die Bahnfahrkarte, -n   *railway ticket*
Paket an Monika schicken   *send parcel to Monika*
das Paket, -e   *parcel*
an Monika   *to Monika*
schicken   *to send*
Aspirin holen   *to collect aspirins*
das Aspirin   *aspirin*
holen   *to fetch*
Mantel reinigen lassen   *to have a coat cleaned*
der Mantel, ⁻   *coat*
Blumen für Oma kaufen   *to buy flowers for Grandma*
die Oma, -s   *grandma*

zurückgeben   *to give back*
Herr Kern fährt zum Bahnhof.
Herr Kern goes to the station.
zum Bahnhof   *to the station*
Sie wohnen noch nicht lange in Neustadt und müssen zehn Dinge erledigen.
You haven't been living in Neustadt for long and have ten things to do.
lange   *long*
das Ding, -e   *thing*
erledigen   *to deal with*
Sie besprechen folgende Fragen: ...
You discuss the following questions: ...
besprechen   *to discuss*
folgende Fragen   *the following questions*
die Frage, -n   *question*
Hören Sie zuerst ein Beispiel.
First listen to an example.
zuerst   *first*
das Beispiel, -e   *example*
Sie können folgende Sätze verwenden: ...
You can use the following sentences: ...
der Satz, ⁻e   *sentence*
verwenden   *to use*
Was brauchen wir?   *What do we need?*
brauchen   *to need*
Was müssen wir besorgen?   *What do we need to get?*
besorgen   *to get*
Also, ich gehe ...   *Well, I'm going ...*
also   *well*

Seite 97

Die Hauptstraße immer geradeaus bis zur Buchhandlung.   *Keep going straight along the High Street to the bookshop.*
geradeaus   *straight on*
immer geradeaus   *keep straight on*
bis zu   *as far as*

47

Gehen Sie links in die Agnesstraße. *Turn left into Agnesstraße.*

links *left*

An der Ecke ist ein Restaurant. *On the corner is a restaurant.*

die Ecke, -n *corner*

Gehen Sie rechts in die Hertzstraße. *Turn right into Hertzstraße.*

rechts *right*

Die Kantgasse ist zwischen der Post und dem Rathaus. *Kantgasse is between the post office and the town hall.*

zwischen *between*

Die Bäckerei ist neben dem Fotostudio Siebert. *The bakery is next to the Siebert Photographic Studio.*

neben *next to*

Schlagen Sie den Stadtplan auf S. 94 auf. *Turn to the town map on page 94.*

der Stadtplan, ¨e *town map*

aufschlagen *to turn to*

Wiederholen Sie dann die Wegerklärungen. *Then repeat the directions.*

die Wegerklärung, -en *direction*

Seite 98

die Busreise, -n *bus trip*

der Bus, -se *bus*

die Stadtrundfahrt, -en *city sightseeing tour*

Abfahrt täglich 9, 11, 14, 16 Uhr am Breitscheidplatz *Departures daily at 9, 11, 2 and 4 o'clock from Breitscheidplatz*

die Abfahrt, -en *departure*

täglich *daily*

Erwachsene 14,– DM, Kinder 9,– DM *Adults 14 Mark, children 9 Mark*

der Erwachsene, -n *adult*

das Internationale Congress Centrum *International Congress Centre*

Hinter dem Centrum der Funkturm. *Behind the Centre the Radio Tower.*

hinter *behind*

der Funkturm, ¨e *radio tower*

Die Reste der Mauer zwischen Ost- und West-Berlin. *The remains of the Wall between East and West Berlin.*

der Rest, -e *remains*

die Mauer, -n *Wall*

Ost- *East*

West- *West*

Bis 1989 hat sie Berlin in zwei Teile geschnitten. *Till 1989 it cut Berlin into two parts.*

bis 1989 *till 1989*

das Teil, -e *part*

schneiden *to cut*

Die Weltzeituhr auf dem Alexanderplatz: Treffpunkt für viele Berliner. *The World Time Clock at Alexanderplatz: Meeting point for many Berliners.*

der Platz, ¨e *square*

der Treffpunkt, -e *meeting point*

Die Kaiser-Wilhelm-Gedächtniskirche am Bahnhof Zoo. *The Kaiser Wilhelm Memorial Church at Zoo Station.*

der Kaiser, - *Kaiser, Emperor*

die Gedächtniskirche, -n *memorial church*

der Bahnhof Zoo *Zoo Station*

Neben der Ruine der neue Turm. *Next to the ruins the new tower.*

die Ruine, -n *ruin*

Das Humboldt-Denkmal vor der Humboldt-Universität. *The Humboldt monument in front of the Humboldt University.*

das Denkmal, ¨er *monument*

vor *in front of*

die Universität, -en *university*
der Fernsehturm, ⁻e *television tower*
der Turm, ⁻e *tower*
In der Kugel, hoch über der Stadt, ein
  Restaurant. *In the sphere high above
  the city, a restaurant.*
die Kugel, -n *sphere*
hoch *high*
über *above*
Unter dem Turm der Alexanderplatz.
  Below the tower, the Alexanderplatz.
unter *below*

Seite 99

Hören Sie den Text und machen Sie
  Notizen. *Listen to the passage and
  make notes.*
die Notiz, -en *note*
zum Schluss *finally*
Ihre Freundin / Ihr Freund ist nicht
  mitgefahren. *Your friend did not come
  with you.*
mitfahren *to come with (someone)*
Beschreiben Sie die Fahrt. *Describe the
  tour.*
beschreiben *to describe*
die Fahrt, -en *tour*
Der Berliner Bär ist das Wappentier von
  Berlin. *The Berlin Bear is the symbol
  of Berlin.*
der Bär, -en *bear*
das Wappentier, -e *symbol*
Wo steht er? *Where is it standing?*
stehen *to stand*
Wo sitzt er? *Where is it sitting?*
sitzen *to sit*

Seite 100

klettern *to climb*
etwas schreiben *to write something*
fliegen *to fly*
etwas legen *to place something (lying
  down)*
etwas stellen *to place something
  (upright)*
fahren *to drive*
die Tasche, -n *bag*

Seite 101

Alle Wege nach Berlin *All roads to Berlin*
der Weg, -e *way*
Seit 1990 haben Sie freie Fahrt nach
  Berlin. *Since 1990 you have free
  access to Berlin.*
freie Fahrt *free access*
Die Grenze zwischen der Bundesrepublik
  und der DDR gibt es nicht mehr.
  *The border between the Federal
  Republic and the GDR no longer exists.*
die Grenze, -n *border*
die Bundesrepublik *Federal Republic*
die DDR (die Deutsche Demokratische
  Republik) *German Democratic
  Republic*
Berlin ist wieder ein Verkehrszentrum in
  der Mitte Europas. *Berlin is once
  again a centre of traffic in the middle
  of Europe.*
das Verkehrszentrum, Verkehrszentren
  centre of traffic
das Zentrum, Zentren *centre*
die Mitte *middle*
Europa *Europe*
Sie haben die Wahl: … *You have the
  choice: …*

die Wahl, -en *choice*
Mit dem Flugzeug *By plane*
das Flugzeug, -e *aeroplane*
Auf den Flughäfen Tegel, Tempelhof und
Schönefeld landen täglich mehr als 400
Linienflugzeuge. *At the airports of*
Tegel, Tempelhof and Schönefeld more
then 400 scheduled flights land each
day.
der Flughafen, ⸚ *airport*
landen *to land*
mehr als 400 *more than 400*
das Linienflugzeug, -e *scheduled flight*
Es gibt Flugverbindungen in fast alle
Länder der Welt. *There are air*
connections to almost all countries of
the world.
die Flugverbindung, -en *air connection*
fast *almost*
alle *all*
die Welt, -en *world*
Besonders gut sind die Verbindungen
nach Osteuropa. *Connections to*
Eastern Europe are especially good.
die Verbindung, -en *connection*
Sie können in einer Reisegruppe mit dem
Bus nach Berlin fahren. *You can travel*
by bus to Berlin with a travel group.
die Reisegruppe, -n *travel group*
der Bus, -se *bus*
Es gibt aber auch Linienbusse nach Berlin.
But there are also scheduled bus
services to Berlin.
der Linienbus, -se *scheduled bus service*
Sie fahren von vielen Städten in Deutschland zum Busbahnhof am Funkturm.
They go from many cities in Germany to
the bus station at the radio tower.
der Busbahnhof, ⸚e *bus station*
Fahrpläne und Auskünfte bekommen Sie
in allen Reisebüros. *You can get*

timetables and information from all
travel agencies.
der Fahrplan, ⸚e *timetable*
die Auskunft, ⸚e *information*
das Reisebüro, -s *travel agency*
Von Norden, Süden, Osten und Westen
können Sie auf Autobahnen und auf
Bundesstraßen nach Berlin fahren.
From north, south, east and west you
can drive on the motorways or federal
roads to Berlin.
der Norden *north*
der Süden *south*
der Osten *east*
der Westen *west*
die Bundesstraße, -n *federal road*
Mit der Bahn *By rail*
die Bahn, -en *rail*
Sehr bequem reisen Sie mit der Bahn bis
in die Innenstadt von Berlin. *You can*
travel very comfortably by rail right
into the Berlin city centre.
reisen *to travel*
die Innenstadt, ⸚e *city centre*
Fahrkarten bekommen Sie auf den
Bahnhöfen am Schalter, aber auch in
vielen Reisebüros. *You can get tickets*
at the ticket offices on the stations, but
also in many travel agencies.
die Fahrkarte, -n *ticket*
der Schalter, - *ticket office*
Man fährt … über … nach … *You go …*
via … to …
über … nach … *via … to …*
Von … fährt man weiter nach … *From*
… you go on to …
von … nach … *from … to …*

Ein US-Amerikaner berichtet. *An American from the USA describes his experiences.*

berichten *to report*

Bis 1962 war ich in Berlin Offizier bei der US-Armee. *Till 1962 I was in Berlin as an officer in the US Army.*

der Offizier, -e *officer*

die Armee, -n *army*

Jetzt, nach 30 Jahren, komme ich wieder zurück. *Now, after 30 years, I am returning.*

nach 30 Jahren *after 30 years*

zurückkommen *to return*

Nicht als Soldat, sondern als Journalist. *Not as a soldier, but as a journalist.*

der Soldat, -en *soldier*

sondern *but*

der Journalist, -en *journalist*

In 30 Jahren ist viel passiert. *In 30 years a lot has happened.*

in 30 Jahren *in 30 years*

viel *much*

Bis 1990 ist man durch die DDR nach Berlin gefahren. *Till 1990 one drove through the GDR to Berlin.*

durch *through*

Dieser Staat existiert nicht mehr. *This state no longer exists.*

existieren *to exist*

Deutschland ist nicht mehr geteilt, … *Germany is no longer divided, …*

nicht mehr *no longer*

geteilt *divided*

Ich fahre zuerst zum Brandenburger Tor, dem Symbol für die deutsche Einheit. *First I go to the Brandenburg Gate, the symbol of German unity.*

das Tor, -e *gate*

das Symbol, -e *symbol*

deutsch *German*

die Einheit, -en *unity*

Früher war hier die Mauer. *The Wall used to be here.*

früher *earlier*

Hier findet man berühmte Gebäude des alten Berlin: … *Here you find famous buildings from the old Berlin: …*

berühmt *famous*

das Gebäude, - *building*

die Staatsoper *the State Opera*

die Oper, -n *opera*

die Neue Wache *the "New Guard" building*

das Museum, Museen *museum*

die Geschichte, -n *history*

u.v.a. (und viele andere) *etc.*

Hier war auch das Zentrum Ost-Berlins. *Here was the centre of East Berlin.*

das Zentrum, Zentren *centre*

Der Platz war nach dem Krieg völlig zerstört. *The square was completely destroyed after the war.*

der Platz, ⁻e *square*

nach dem Krieg *after the war*

der Krieg, -e *war*

völlig *completely*

zerstören *to destroy*

Man hat ihn neu aufgebaut. *It has been rebuilt.*

neu aufbauen *to rebuild*

Für einen Westbesucher ist die Architektur des Sozialismus ungewohnt. *For a visitor from the West, socialist architecture is unusual.*

der Besucher, - *visitor*

die Architektur *architecture*

der Sozialismus *socialism*

ungewohnt *unusual*

Was ist wahr? Was ist falsch?
What is true? What is false?
wahr   *true*

Seite 103

mit wenig Fantasie gebaut   *built with
 litttle imagination*
wenig   *little*
die Fantasie, -n   *imagination*
bauen   *to build*
... und das Leben auf dem Platz ist nicht
 mehr so grau wie früher.   *... and life
 on the square is no longer as grey as it
 used to be.*
das Leben   *life*
grau   *grey*
so ... wie ...   *as ... as ...*
Wir haben endlich unsere Freiheit ...
 At last we have our freedom ...
endlich   *at last*
die Freiheit   *freedom*
... und die Geschäfte sind voll mit Waren.
 ... and the shops are full of goods.
voll sein   *to be full*
die Ware, -n   *goods*
Viele Leute sind arbeitslos oder verdienen
 sehr wenig.   *Many people are
 unemployed or earn very little.*
arbeitslos   *unemployed*
oder   *or*
verdienen   *to earn*
Das bringt natürlich soziale Probleme.
 That of course brings social problems.
bringen   *to bring*
natürlich   *of course*
sozial   *social*
das Problem, -e   *problem*
Und die merkt man auch.   *And they are
 noticeable too.*
merken   *to notice*

Die Atmosphäre auf dem Alexanderplatz
 ist nicht sehr optimistisch.
 *The atmosphere on Alexanderplatz is
 not very optimistic.*
die Atmosphäre, -n   *atmosphere*
optimistisch   *optimistic*
Ich möchte vergleichen und fahre zum
 Ku'damm.   *I want to compare it and
 drive to the Ku'damm.*
vergleichen   *to compare*
Das Leben hier ist bunt und interessant,
 aber auch nervös und hektisch.
 *Life here is colourful and interesting,
 but also nervous and hectic.*
bunt   *colourful*
interessant   *interesting*
nervös   *nervous*
hektisch   *hectic*
Hier treffen ganz verschiedene Leute
 zusammen, und alle leben ihren Stil: ...
 *Here quite different sorts of people
 meet, and all have their own lifestyle: ...*
zusammentreffen   *to meet*
verschieden   *different*
der Stil, -e   *style*
der Reiche, -n   *rich*
der Arme, -n   *poor*
der Jugendliche, -n   *youth*
der Rentner, -   *pensioner*
der Ausländer, -   *foreigner*
der Bürger, -   *citizen; here: petty
 bourgeois (in contrast with "artist")*
der Künstler, -   *artist*
der Punk, -s   *punk*
die Geschäftsleute *(Plural)*   *businessmen*
Diese Gruppen haben alle ihre
 verschiedenen Interessen.   *These
 groups all have different interests.*
die Gruppe, -n   *group*
verschieden   *different*
das Interesse, -n   *interest*

Das bringt natürlich Konflikte.
That of course also brings conflicts.
der Konflikt, -e   *conflict*
Für den Studenten Dirk ist das kein
Problem.   *For the student Dirk that is
no problem.*
der Student, -en   *student*
das Problem, -e   *problem*
Wir in Berlin sind sehr tolerant.
We Berliners are very tolerant.
tolerant   *tolerant*
Viele West-Berliner sehen das aber ganz
anders.   *However, many West
Berliners see that quite differently.*
anders   *differently*
Seit der Vereinigung kommen immer
mehr Menschen in die Stadt.
*Since unification more and more people
are coming into the city.*
die Vereinigung, -en   *unification*
Es gibt bald keinen Platz mehr.
There will soon be no more room.
der Platz   *room*
Die Wohnungen sind knapp und teuer und
die Kriminalität steigt.
*Flats are scarce and expensive, and
crime is on the increase.*
knapp   *scarce*
die Kriminalität   *crime*
Auch sie haben mehr Freiheit gewonnen.
They too have won more freedom.
gewinnen   *to win*
Sie wohnen nicht mehr auf einer Insel in
der DDR.   *They no longer live on an
island in the GDR.*
die Insel, -n   *island*
Sie können jetzt wieder Ausflüge in die
schöne Umgebung Berlins machen.
*Now they can again go out on trips into
the beautiful surroundings of Berlin.*
die Umgebung   *surroundings*

Jedes Wochenende fahren Tausende an
die Berliner Seen.   *Every weekend
thousands go to the Berlin lakes.*
der See, -n   *lake*
Viele Menschen ziehen nach Berlin.
Deshalb fehlen Wohnungen.
*Many people move to Berlin, so there is
a shortage of flats.*
ziehen   *to move*
deshalb   *therefore*
fehlen   *to be lacking*

Seite 104

bei der Ampel scharf rechts   *sharp right
at the traffic lights*
die Ampel, -n   *traffic lights*
scharf rechts   *sharp right*
dann bis zur zweiten Kreuzung
geradeaus   *then straight on to the
second crossroads*
die Kreuzung, -en   *crossroads*
über den Platz weg   *across the square*
um das Hochhaus herum   *round the
high-rise block*
um … herum   *round*
das Hochhaus, ¨er   *high-rise block*
bei der Tankstelle links halten   *keep left
at the petrol station*
die Tankstelle, -n   *petrol station*
links halten   *keep left*
wenn man Ihnen sagt: …   *if you are
told: …*
wenn   *if*
… dann verlieren Sie bitte nicht die
Hoffnung …   *… then please don't give
up hope …*
verlieren   *to lose*
die Hoffnung   *hope*

Lektion 9

Seite 105

die Vase, -n *vase*
die Weinglas, ¨er *wine glass*
die Tasche, -n *bag*
die Pfeife, -n *pipe*
das Parfüm, -s *perfume*
die Halskette, -n *necklace*
der Ring, -e *ring*
der Wecker, - *alarm clock*
Freut euch mit uns: Wir heiraten *Rejoice*
  with us, we are getting
  married
freuen *to be happy*
Schenken Sie Blumen *Give flowers*
schenken *to give*
Weihnachten *Christmas*
das Jubiläum, Jubiläen *anniversary*

Seite 106

Was brauchen Sie? *What do you need?*
brauchen *to need*
Deshalb möchte ich eine Kaffeemaschine
  haben. *So I should like to have a*
  coffee-machine.
die Kaffeemaschine, -n *coffee-machine*
das Haustier, -e *pet*
der Fernsehfilm, -e *television film*
der Gast, ¨e *guest*
spülen *to wash up*
zu spät *too late*
spät *late*
Auto selber reparieren *to do one's own*
  car repairs
selber *oneself*
der Campingurlaub *camping holiday*
gern Schmuck tragen *to like wearing*
  jewelry

der Schmuck *jewelry*
tragen *to wear*
der Videorekorder, - *video recorder*
das Wörterbuch, ¨er *dictionary*
die Schallplatte, -n *record*
das Feuerzeug, -e *lighter*
der Hund, -e *dog*
die Schreibmaschine, -n *typewriter*
der Tennisball, ¨e *tennis ball*
das Kochbuch, ¨er *cookery book*
der Schlafsack, ¨e *sleeping bag*
der Reiseführer, - *guide book*
das Zelt, -e *tent*
das Werkzeug, -e *tool(s)*
der Plattenspieler, - *record player*
das Fahrrad, ¨er *bicycle*
die Katze, -n *cat*

Seite 107

Herr Mahlein hat Geburtstag.
  It's Herr Mahlein's birthday.
der Geburtstag, -e *birthday*
Frau Mahlein schenkt ihm einen
  Videorekorder. *Frau Mahlein gives*
  him a video recorder.
schenken *to give*
Jochen liebt Lisa. *Jochen loves Lisa.*
lieben *to love*
Der Verkäufer zeigt den Kindern ein
  Radio. *The salesman shows the*
  children a radio.
der Verkäufer, - *salesman*
zeigen *to show*
Dann empfiehlt er ihnen einen Radiorekorder. *Then he recommends a*
  radio recorder.
der Radiorekorder, - *radio recorder*
empfehlen *to recommend*
Sie stellt dem Lehrer eine Frage.
  She asks the teacher a question.

54

eine Frage stellen   *to ask a question*
Er erklärt ihr den Dativ.   *He explains the*
dative to her.
erklären   *to explain*
der Dativ, -e   *dative*
Der Vater will dem Jungen helfen.
The father wants to help the boy.
der Junge, -n   *boy*
helfen   *to help*
Deshalb kauft er ihm eine Sprachkassette.
So he buys him a language cassette.
deshalb   *therefore*
die Sprachkassette, -n   *language*
cassette
Sie will ihm das Rad schenken.
She wants to give him the bicycle.
das Rad, ⁼er   *bicycle*

Seite 108

Schreiben Sie ihn dann zu Ende.
Then complete it.
zu Ende   *to the end*
Schau mal, morgen ist die Party bei Hilde
und Georg.   *Look, tomorrow is the*
party at Hilde and Georg's.
die Party, -s   *party*
Ach ja, stimmt.   *Oh yes, that's right.*
ach ja   *oh yes*
Sie schenken ihm keinen …, denn das …
They don't give him a …, because
that …
denn   *because*
Beraten Sie: …   *Discuss: …*
beraten   *to discuss*
Doris Lindemann wird 30.
Doris Lindemann will be 30.
werden   *to become*
geht gern ins Theater   *likes going to the*
theatre
das Theater, -   *theatre*

Ewald Berger feiert sein Dienstjubiläum.
Ewald Berger is celebrating a round
number of years with the firm.
feiern   *to celebrate*
das Dienstjubiläum, Dienstjubiläen
work anniversary
der Ingenieur, -e   *engineer*
Daniela und Uwe Reiter geben eine
Silvesterparty.   *Danela and Uwe*
Reiter are throwing a New Year's Eve
party.
die Silvesterparty, -s   *New Year's Eve*
party
das Camping   *camping*

Seite 109

Die Party ist am Freitag, 3. 2., um
20.00 Uhr.   *The party is on Friday*
3rd February at 8pm.
Ich lade dich herzlich ein.
You are warmly invited.
herzlich   *warmly*
… habe meine Prüfung bestanden.
… have passed my exam.
die Prüfung, -en   *examination*
bestehen   *to pass*
… und unseren anderen Bekannten und
Freunden …   *… and our other friends*
and acquaintances …
die / der Bekannte, -n (ein Bekannter)
friend, acquaintance
Schreiben Sie jetzt selbst einen
Einladungsbrief.   *Now write your*
own invitation letter.
der Einladungsbrief, -e   *invitation letter*
den Führerschein machen   *to pass one's*
driving test
der Führerschein, -e   *driving licence*

55

Seite 110

Der Kunde ist König! *The customer is king.*
der König, -e *king*
Wir machen Möbel nach Ihren Wünschen. *We make furniture to your requirements.*
das Möbel, - *furniture*
der Wunsch, ⁻e *wish*
Der Stuhl gefällt mir ganz gut. *I like this chair quite a lot.*
ganz gut *quite well*
Kein Problem! *No problem!*
So ist er groß genug, aber leider zu schmal. *Like that it is big enough but unfortunately too narrow.*
groß genug *big enough*
schmal *narrow*
Ich möchte ihn gern breiter haben! *I would like it broader.*
breit *broad*
nicht schlecht *not bad*
Aber die Rückenlehne ist zu kurz. *But the back is too short.*
die Rückenlehne, -n *back*
kurz *short*
Ich möchte sie gern länger haben. *I would like to have it longer.*
lang *long*
Wunderbar! Jetzt ist die Lehne lang genug. *Wonderful. Now the back is long enough.*
wunderbar *wonderful*
die Lehne, -n *back*
Hilfe! *Help!*
die Hilfe, -n *help*
Warum laufen Sie so langsam? *Why are you running so slowly?*
laufen *to run*
langsam *slowly*

Können Sie nicht schneller laufen? *Can't you run faster?*
schnell *fast*
Schreiben Sie jetzt selbst einen Text für einen Comic. *Now write your own text for a comic strip.*
der Comic, -s *comic strip*
niedrig *low*
das Holz, ⁻er *wood*
die Platte, -n *top*
das Brett, -er *shelf*
dünn *thin*
dick *thick*

Seite 111

Vergleichen Sie die Tische. *Compare the tables.*
vergleichen *to compare*
der Komparativ, -e *comparative*
der Superlativ, -e *superlative*
leicht *easy*

Seite 112

Viel Technik im Miniformat *A lot of technology in a mini format*
die Technik *technology*
das Miniformat, -e *mini format*
Der Video Walkman ist Videorekorder und Fernsehen in einem Gerät. *The video walkman is a video recorder and television in one (in a single unit).*
der Fernseher, - *television*
das Gerät, -e *unit*
Zusammen mit der Kamera CCD G100ST haben Sie ein Videostudio im Miniformat. *Combined with the CCD G100ST camera you have a video studio in miniature.*
das Videostudio, -s *video studio*

Das kleine Ding fürs Geschäft *The small gadget for business*

das Ding, -er / -e *gadget, thing*

das Geschäft, -e *business*

Mit einem Video Walkman sagen Sie ganz einfach zu Ihren Kunden: … *With a Video Walkman you simply say to your customers: …*

einfach *simply*

der Kunde, -n *customer*

Ja, dann schauen wir mal! *Well, let's have a look!*

schauen *to look*

Und schon sieht er Ihr Produkt auf dem LCD-Bildschirm, … *And immediately he will see your product on the LCD-screen, …*

das Produkt, -e *product*

der Bildschirm, -e *screen*

der LCD-Bildschirm („Liquid Crystal Display") *LCD screen*

… perfekt präsentiert in Bild und Ton. *… perfectly presented in image and sound.*

perfekt *perfectly*

präsentieren *to present*

der Ton, ⁻e *sound*

Antenne raus, den Video Walkman einschalten, und schon können Sie fernsehen. *Pull out the aerial, switch on the Walkman, and you can start watching television.*

die Antenne, -n *aerial*

raus *out*

einschalten *to switch on*

So bekommen Sie Ihre Informationen, aktuell in Bild und Ton. *So you get your information, up to the minute in image and sound.*

Informationen bekommen *to get information*

die Information, -en *information*

aktuell *up to date*

Denn die Zeit der langweiligen Dia-Vorträge ist vorbei. *Because the day of boring slide lectures is over.*

das Dia, -s *slide*

der Vortrag, ⁻e *lecture*

vorbei *over*

Der Video Walkman bringt die Erinnerungen zurück, lebendig in Bild und Ton. *The Video Walkman brings back the memories, alive in sound and vision.*

die Erinnerung, -en *memory*

lebendig *alive*

Gefilmt haben Sie mit der Kamera CCD G100ST … *You have taken a film with the CCD G100ST camera …*

filmen *to shoot a film*

… aber High-Tech durch und durch. *… but high-tech through and through.*

Seite 113

Welches Foto und welcher Abschnitt im Text gehören zusammen? *Which photo and which part of the text belong together?*

der Abschnitt, -e *extract*

zusammengehören *to belong together*

die Fotomesse, -n *photographic exhibition*

Wer kann den Walkman gut gebrauchen? *Who can make good use of the Walkman?*

gebrauchen *to use*

Filme aufnehmen und sehen *to record and view films*

aufnehmen *to record*

zu Hause an den Fernseher anschließen

anschließen   *to connect*
im Urlaub   *on holiday*
Strom aus der Steckdose   *electricity from*
  the socket
der Strom   *electricity*
in jede Handtasche passen   *to fit into*
  every handbag
die Handtasche, -n   *handbag*
passen   *to fit*
Videokassetten so klein wie
  Musikkassetten   *videocassettes as*
  small as audio cassettes
die Videokassette, -n   *video cassette*
die Musikkassette, -n   *audio cassette*
der Akku, -s   *accumulator*

Seite 114

Jetzt bin ich viel glücklicher!   *Now I am*
  a lot happier!
glücklich   *happy*
Er hatte eine attraktive Frau.   *He had an*
  attractive wife.
attraktiv   *attractive*
eine Stadtwohnung mit Blick auf die
  Binnenalster   *a town flat with a view*
  over the Inner Alster
der Blick   *a view*
Heute lebt er in einem Dorf in
  Ostfriesland.   *Today he lives in a*
  village in East Frisia.
das Dorf, ¨er   *village*
Unsere Mitarbeiterin Paula Diebel hat mit
  ihm gesprochen.   *Our colleague Paula*
  Diebel spoke to him.
die Mitarbeiterin, -nen   *colleague*
  (female)
Sie waren in Hamburg sehr erfolgreich.
  You were very successful in
  Hamburg.
erfolgreich   *successful*

Ihr Café war bekannt und immer gut
  besucht.   *Your cafe was well known*
  and always well patronised.
bekannt   *well known*
gut besucht   *well patronised*
Es war eigentlich ein Zufall.
  It was really by chance.
eigentlich   *really*
der Zufall, ¨e   *chance*
Ich habe das Bauernhaus hier geerbt, von
  einer Tante.   *I inherited the farmhouse*
  here from an aunt.
das Bauernhaus, ¨er   *farmhouse*
erben   *to inherit*
die Tante, -n   *aunt*
Ich habe einen Brief vom Notar
  bekommen.   *I got a letter from the*
  solicitor.
der Notar, -e   *solicitor*
der Stress   *stress*
Und bevor Sie das Haus geerbt haben …
  And before you inherited the house …
bevor   *before*
Feierabend war erst um 19 Uhr.
  We did not finish until 7 o'clock.
der Feierabend, -e   *finishing time*
erst um 19 Uhr   *not until 7 o'clock*
Meine Arbeitswoche hatte sieben Tage.
  My working week had seven days in it.
die Arbeitswoche, -n   *working week*
Ich hatte eigentlich überhaupt keine
  Freizeit.   *I had no free time at all.*
überhaupt keine Freizeit   *no free time at*
  all
Irgendwann reicht es mir.   *At some point*
  I shall have had enough.
irgendwann   *at some point in time*
es reicht mir   *I have enough*
Wir haben noch ein paar Mal telefoniert.
  We telephoned a few times.
ein paar Mal   *a few times*

Zum Schluss bin ich nur noch mit
  Schlafmitteln eingeschlafen.
  *In the end I could only get to sleep with
  sleeping tablets.*
zum Schluss   *in the end*
der Schluss, ⁻e   *end*
das Schlafmittel, -   *sleeping tablets*
Und dieses Haus hier hat dann alles
  verändert?   *And this house here has
  changed all that?*
verändern   *to change*
Verrückt, nicht?   *Crazy, isn't it?*
verrückt   *crazy*
Das ist meine Chance!   *This is my
  chance!*
die Chance, -n   *chance*
Die Luft hier ist viel sauberer als in
  Hamburg.   *The air is much cleaner
  here than in Hamburg.*
die Luft, ⁻e   *air*
sauber   *clean*
Und das Geld reicht Ihnen?
  And the money is enough for you?
das Geld   *money*
reichen   *to be sufficient*
Mein Motto heute heißt: „Nur kein
  Stress!"   *Today my motto is "At all
  costs no stress!"*
das Motto, -s   *motto*
der Stress   *stress*
Was haben Ihre Freunde gesagt zu Ihrem
  Umzug aufs Land?   *What did your
  friends say to your moving into the
  country?*
der Umzug, ⁻e   *move*
aufs Land   *into the country*
„Bäcker-Bauer" nennen sie mich.
  They call me a "baker-farmer".
nennen   *to call*
Aber das ist mir egal.   *But that's all the
  same to me.*

egal   *the same*
Meine Tante hatte schon lange keine Kühe
  mehr; nur noch ein paar Hühner und
  einen Hund.   *My aunt had had no cows
  for some time; only a few hens and a
  dog.*
die Tante, -n   *aunt*
die Kuh, ⁻e   *cow*
das Huhn, ⁻er   *hen*
Die habe ich behalten.   *Those I kept.*
behalten   *to keep*
Zwei Schafe habe ich auch, und ein Pferd.
  I also have two sheep and a horse.
das Schaf, -e   *sheep*
das Pferd, -e   *horse*
Das mag ich am liebsten.   *That I like
  most of all.*
mögen   *to like*
Ist Ihnen nie langweilig, so allein hier?
  Are you never bored, so alone here?
langweilig   *boring*
Langeweile kenne ich nicht.
  I don't know boredom.
die Langeweile   *boredom*
kennen   *to know*
Mit dem Garten und den Tieren habe ich
  von März bis Oktober immer eine
  Beschäftigung.   *With the garden and
  the animals I always have work to do
  from March till October.*
das Tier, -e   *animal*
die Beschäftigung, -en   *occupation*

Seite 115

der Computer, -   *computer*
das Motorrad, ⁻er   *motorbike*
völlig überflüssig   *completely
  superfluous*
völlig   *completely*
überflüssig   *superfluous*

Der große Mediovideoaudiotelemax, meine Damen und Herren, ist technisch perfekt. *The big mediovideoaudiotelemax, ladies and gentlemen, is technically perfect.*

meine Damen und Herren *ladies and gentlemen*

die Dame, -n *lady*

der Herr, -en *gentleman*

technisch *technically*

perfekt *perfect*

Er kann rechnen. *It can calculate.*

rechnen *to calculate*

Sie selber brauchen also nicht mehr rechnen. *You yourself no longer need to calculate.*

selber *self*

brauchen *to need*

Er kann sogar denken. *It can even think.*

denken *to think*

Der große Mediovideoaudiotelemax ist einfach vollkommen. *The big mediovideoaudiotelemax is simply perfect.*

vollkommen *perfect*

Verlassen Sie sich auf den großen Mediovideoaudiotelemax … *Depend on the big mediovideoaudiotelemax …*

sich verlassen *to depend*

… und finden Sie endlich Zeit für sich selber. *… and find time at last for yourself.*

Zeit finden *to find time*

endlich *at last*

für sich selber *for yourself*

Lektion 10

von einem japanischen Schüler aus Toyohashi *by a Japanese pupil from Toyohashi*

japanisch *Japanese*

Seite 118

Was kennen Sie außerdem? *What else do you know?*

außerdem *else*

Sie können auch ein Fragespiel machen. *You can make up a quiz.*

das Fragespiel, -e *quiz*

die Hauptstadt von Deutschland *the capital of Germany*

die Hauptstadt, ¨e *capital*

die Fluglinie, -n *airline*

das Gericht, -e *dish*

stellt Lebensmittel her *produces foodstuffs*

herstellen *to produce*

das Lebensmittel, - *foodstuff*

das Stahlprodukt, -e *steel product*

das Chemieprodukt, -e *chemical product*

das Elektrogerät, -e *electrical appliance*

die Sportkleidung *sports clothing*

der Schriftsteller, - *writer*

der Maler, - *painter*

der Komponist, -en *composer*

der Politiker, - *politician*

die Sportlerin, -nen *sportswoman*

der Schauspieler, - *actor*

der Wissenschaftler, - *scientist, researcher*

komponieren *to compose*

malen *to paint*

spielen *to play*

erfinden *to invent*
entdecken *to discover*

Seite 119

Personen-Quiz: Große Namen
Personality Quiz: Famous names
das Quiz *quiz*
große Namen *great names*
Welche Daten gehören zu Person Nr. 1?
Which dates apply to personality no. 1?
die Daten *(Plural) dates*
gehören *to apply to*
geboren *born*
Sein Vater war Beamter. *His father was*
a civil servant.
der Beamte, -n *civil servant*
das Studium, Studien *study*
1776: endgültig in Weimar *1776: in*
Weimar for good
endgültig *for good*
gestorben *died*
die Heirat *marriage*
der Minister, - *minister*
das Werk, -e *work*
die Zauberflöte *The Magic Flute*
der Zauber *magic*
die Flöte, -n *flute*
die Krönungsmesse *Coronation Mass*
die Krönung, -en *coronation*
die Messe, -n *mass*
Jupiter *Jupiter*
die Sinfonie, -n *symphony*
Wählen Sie eine berühmte Person.
Choose a famous person.
wählen *to choose*
berühmt *famous*
Suchen Sie Informationen im Lexikon.
Look up information in an
encyclopaedia.
die Information, -en *information*

das Lexikon, Lexika *encyclopaedia*
Fangen Sie z.b. so an: ... *Start like this,*
e.g. ...
z.b. (= zum Beispiel) *e.g.*
Geben Sie höchstens acht Informationen.
Give at most eight items of information.
höchstens *at most*
das Datum, Daten *date*
die Jahreszahl, -en *year*

Seite 120

Die deutschsprachigen Länder *The*
German-speaking countries
deutschsprachig *German-speaking*
Aber auch in anderen Ländern gibt es
Bevölkerungsgruppen, die Deutsch
sprechen ... *But in other countries too*
there are sections of the population that
speak German ...
die Bevölkerungsgruppe, -n *section of*
the population
Deutschland, Österreich und die Schweiz
sind föderative Staaten. *Germany,*
Austria and Switzerland are federal
states.
föderativ *federal*
der Staat, -en *state*
Die „Schweizerische Eidgenossenschaft"
(„Confœderatio Helvetica" – daher das
Autokennzeichen CH) besteht aus
26 Kantonen ... *The Swiss Confedera-*
tion ("Confœderatio Helvetica" – hence
the car registration CH) consists of
26 cantons ...
die Schweizerische Eidgenossenschaft
Swiss Confederation
daher *hence*
das Autokennzeichen, - *car registration*
bestehen aus *to consist of*
der Kanton, -e *canton*

die Republik Österreich *Austrian Republic*
die Republik, -en *republic*
das Bundesland, ⸚er *federal state*
der Bund *federation*
die Bundesrepublik Deutschland *Federal Republic of Germany*
Ein Kuriosum: die Städte Bremen, Hamburg und Berlin sind jeweils selber auch ein eigenes Bundesland. *A curiosity: the cities of Bremen, Hamburg and Berlin are themselves each a separate federal state.*
das Kuriosum, Kuriosa *curiosity*
jeweils *respectively*
eigen- *own*
In der Schweiz gibt es vier offizielle Sprachen. *In Switzerland there are four official languages.*
offiziell *official*
die Sprache, -n *language*
Französisch spricht man im Westen des Landes, Italienisch vor allem im Tessin, Rätoromanisch in einem Teil des Kantons Graubünden und Deutsch im großen Rest des Landes. *French is spoken in the West of the country, Italian above all in Ticino, Rhaeto-Romanic in part of the canton of Grissons, and German in the large remaining part of the country.*
Französisch *French*
Italienisch *Italian*
vor allem *above all*
das Tessin *Ticino*
Rätoromanisch *Rhaeto-Romanic*
Graubünden *Grissons*
der Rest, -e *the rest*
… es gibt auch Sprachen von Minderheiten: … *… there are also minority languages: …*

die Minderheit, -en *minority*
Friesisch an der deutschen Nordseeküste, Dänisch in Schleswig-Holstein, Sorbisch in Sachsen und Slowenisch und Kroatisch im Süden Österreichs. *Frisian on the German North Sea coast, Danish in Schleswig-Holstein, Sorbian in Saxony, and Slovenian and Croat in the south of Austria.*
Friesisch *Frisian*
die Nordseeküste, -n *North Sea coast*
Dänisch *Danish*
Schleswig-Holstein *Schleswig-Holstein*
Sorbisch *Sorbian*
Sachsen *Saxony*
Slowenisch *Slovenian*
Kroatisch *Croat*
Im Norden klingt sie anders als im Süden, im Osten sprechen die Menschen mit einem anderen Akzent als im Westen. *In the north it sounds different from in the south, in the east people speak with a different accent from that in the west.*
klingen *to sound*
der Akzent, -e *accent*
In vielen Gebieten ist auch der Dialekt noch sehr lebendig. *In many regions the dialect too is still very much alive.*
das Gebiet, -e *region*
der Dialekt, -e *dialect*
lebendig *alive*
Aber Hochdeutsch versteht man überall. *But High German is understood everywhere.*
das Hochdeutsch *High German*
der Genitiv *genitive*

Seite 121

Welche Informationen gibt die Landkarte?
What information does the map give?
Wie viele Nachbarländer hat die
Bundesrepublik Deutschland?
*How many neighbouring countries does
Germany have?*
das Nachbarland, ̈er *neighbouring
country*
Norddeutschland *North Germany*
Westdeutschland *West Germany*
Ostdeutschland *East Germany*
Süddeutschland *South Germany*
Welche Bundesländer haben keine
Grenzen zum Ausland? *Which federal
states have no borders with foreign
countries?*
das Ausland *abroad*
Welche Bundesländer haben eine Küste?
Which federal states have a coast?
die Küste, -n *coast*
Durch welche Bundesländer fließt die
Elbe? *Through which federal states
does the Elbe flow?*
fließen *to flow*

Seite 122

das Wahrzeichen, - *symbol*
1248 hat man mit dem Bau angefangen.
Building was begun in 1248.
der Bau *building*
Erst 1880 war er fertig. *It was not
finished until 1880.*
erst 1880 *only in 1880, not until 1880*
fertig sein *to be finished*
Von 1560 bis 1842 hat man aber nicht
weitergebaut. *But from 1560 to 1842
no further building went on.*
weiterbauen *to build further*

Diesen modernen Konzertsaal, die
Philharmonie, nennen die Berliner
„Zirkus Karajani". *This modern
concert hall, the Philharmonic, the
Berliners call "Circus Karajani".*
der Konzertsaal, Konzertsäle
concert hall
der Zirkus, -se *circus*
Herbert von Karajan war bis zu seinem
Tod im Juli 1989 Chef der Berliner
Philharmoniker. *Until his death in
1989, Herbert von Karajan was the
director of the Berlin Philharmonic.*
der Tod *death*
der Chef, -s *boss, director*
die Berliner Philharmoniker *Berlin
Philharmonic*
Auch der Hafen ist ein Wahrzeichen
dieser Stadt. *The port, too, is a symbol
of this town.*
der Hafen, ̈ *port*
Das Hofbräuhaus braut schon seit 1589
Bier, aber das Gebäude ist vom Ende
des 19. Jahrhunderts. *The Hofbräuhaus
has been brewing beer since 1589, but
the building dates from the end of the
19th Century.*
brauen *to brew*
das Gebäude, -e *building*
das Jahrhundert, -e *century*
Bis zu 30000 Gäste pro Tag trinken hier
ihr Bier und singen: ... *Up to 30,000
guests each day drink their beer here
and sing: ...*
bis zu *up to*
In Dresden steht der Zwinger, ein
Barockschloss aus den Jahren 1710 bis
1732. *In Dresden is the Zwinger, a
baroque palace from the years 1710 to
1732.*
das Schloss, ̈er *palace*

das Barock *baroque*
Nach dem Krieg war der Zwinger zerstört,
seit 1964 kann man ihn wieder
besichtigen. *After the war the Zwinger
was destroyed, but since 1964 it has
again been open to visitors.*
der Krieg, -e *war*
zerstören *to destroy*
seit 1964 *since 1964*
besichtigen *to visit*
Jede Stunde kommen die Touristen und
bewundern die astronomische Uhr.
*Every hour the tourists come and
admire the astronomical clock.*
der Tourist, -en *tourist*
bewundern *to admire*
astronomisch *astronomical*
Dieses Riesenrad im Wiener Prater hat der
Engländer W. B. Basset in nur acht
Monaten gebaut. *The Big Wheel in the
Vienna Prater was built by an
Englishman, W B Basset, in only eight
months.*
das Riesenrad, -er *big wheel*
Es ist 61 Meter hoch. *It is 61 metres
high.*
der Meter, - *metre*
Im Juni 1897 sind die Wiener zum ersten
Mal darin gefahren. *In June 1897 the
Viennese rode on it for the first time.*
darin *in it*
Frankfurt am Main ist nicht nur als
Messestadt berühmt. *Frankfurt am
Main is known not only as a city of
trade fairs.*
die Messestadt, -e *trade fair city*
Frankfurts Wahrzeichen ist der Römerberg
mit seinen historischen Häusern.
*Frankfurts symbol is the Römer hill with
its historical houses.*
historisch *historical*

Der Römer ist der Sitz des Stadtparla-
ments. *The Römer is the seat of the
city parliament.*
der Sitz, -e *seat*
das Stadtparlament, -e *city parliament*

Seite 123

Deutsch aus acht Regionen *German from
eight regions*
die Region, -en *region*
Passen Sie auf: … *Look: …*
aufpassen *to pay attention*
Auf Wiedersehen. *Goodbye.*
Hören Sie jetzt 8 Varianten des Dialogs.
*Now listen to the 8 variants of the
dialogue.*
die Variante, -n *variant*
Eine Sache – viele Namen *One thing –
many names*
die Sache, -n *thing*

Seite 124

Das „Herz Europas" *The "Heart of
Europe"*
das Herz, -en *heart*
Blau liegt er vor uns, der Bodensee – ein
Bindeglied für vier Nationen.
*Stretching out in blue before us is
Lake Constance, a link for four
nations.*
blau *blue*
der Bodensee *Lake Constance*
das Bindeglied, -er *link*
vier *four*
die Nation, -en *nation*
der Uferstaat, -en *state on the
shores*
ganz in der Nähe *quite nearby*
die Nähe: in der Nähe *nearby*

150 Kilometer des Ufers gehören zu Baden-Württemberg. *150 km of shore belongs to Baden-Württemberg.*

der Kilometer, - *kilometre*

das Ufer, - *shore*

gehören zu *to belong*

Hier praktiziert man schon lange die Vereinigung Europas. *Here the unification of Europe has been practised for a long time.*

praktizieren *to practise*

Wie selbstverständlich fährt man von Konstanz aus mal kurz ins schweizerische Gottlieben zum Essen. *As a matter of course people take a short drive from Constance to Gottlieben in Switzerland for lunch.*

wie selbstverständlich *as a matter of course*

Die Österreicher können zu Fuß zum Oktoberfest nach Lindau gehen. *Austrians can go on foot to the October Festival in Lindau.*

zu Fuß *on foot*

Die Schweizer kommen mit der Fähre nach Friedrichshafen zum Einkaufen. *The Swiss go by ferry to Friedrichshafen to do their shopping.*

die Fähre, -n *ferry*

Damals haben Bodensee-Hoteliers den „Internationalen Bodensee-Verkehrsverein" gegründet. *Then the Lake Constance hoteliers founded the "International Lake Constance Tourism Association".*

damals *then*

der Hotelier, -s *hotelier*

der Verkehrsverein, -e *tourism association*

gründen *to found*

Der Bodensee ist 538 Quadratkilometer groß. *Lake Constance is 538 sq. km. in size.*

der Quadratkilometer, - *square kilometre*

die Präposition, -en *preposition*

Am tiefsten ist er südlich von Immenstaad: 252 m. *It is at its deepest south of Immenstaad: 252 m.*

tief *deep*

südlich *south*

Durch den Bodensee fließt der Rhein. *The Rhine flows through Lake Constance.*

durch *through*

fließen *to flow*

Außerdem fließen mehr als 200 weitere Flüsse und Bäche in den See. *In addition, more than 200 other rivers and streams flow into the Lake.*

weitere *further*

der Fluss, ⁼e *river*

der Bach, ⁼e *stream*

Der Wanderweg um den Bodensee ist 316 Kilometer lang, der Radweg ungefähr 300 km. *The walk round Lake Constance is 316 km long, the cycle track about 300 km.*

der Wanderweg, -e *walk*

um *round*

ungefähr *about*

Es gibt zwei Autofähren … *There are two car ferries …*

die Autofähre, -n *car ferry*

… zwischen Mai und Oktober kann man mit dem Schiff praktisch jede Stadt und jedes Dorf am Bodensee erreichen. *… between May and October practically every town and village on Lake Constance can be reached by ship.*

das Schiff, -e *ship*
praktisch jede Stadt *practically*
erreichen *to reach*
Die Schifffahrtslinien betreiben die drei
  Staaten gemeinsam. *The shipping lines
  are run by the three countries jointly.*
die Schifffahrtslinie, -n *shipping line*
betreiben *to run*
gemeinsam *jointly*
Drei große Inseln gibt es im See.
  There are three large islands in the Lake.
die Insel, -n *island*
Berge gibt es überall rund um den See.
  *There are mountains everywhere round
  the Lake.*
der Berg, -e *mountain*
überall *everywhere*
rund um den See *round the Lake*

die Orchidee, -n *orchid*
das Festspiel, -e *festival*
Auf der Seebühne spielt man „Die
  Zauberflöte". *On a stage in the lake
  they perform "The Magic Flute".*
die Seebühne, -n *lakeside stage*
der Zeppelin, -e *Zeppelin (airship)*
das Pfahlbaudorf, ⁻er *village on stilts*
das Kloster, ⁻ *monastery*
Auch heute noch arbeiten die Mönche im
  Weinbau. *Even today the monks still
  work in wine-growing.*
der Mönch, -e *monk*
der Weinbau *wine-growing*
Der Rhein fällt hier 21 Meter tief.
  Here the Rhine drops 21 metres.
fallen *to fall*

Seite 126

wandern *to hike*
segeln *to sail*
in einer Pension *in a guest house*
die Pension, -en *guest house*
Über welche Sehenswürdigkeiten spricht
  Herr Grasser außerdem? *Which other
  sights does Herr Grasser speak about?*
die Sehenswürdigkeit, -en *sight*
außerdem *in addition*
Zur Blumeninsel Mainau kommt man über
  eine Brücke. *The flower island of
  Mainau is reached by a bridge.*
die Blumeninsel, -n *flower island*
die Brücke, -n *bridge*
Hier wachsen Palmen, Kakteen und
  Orchideen. *Here palms, cacti and
  orchids grow.*
wachsen *to grow*
die Palme, -n *palm*
die Kaktee, -n *cactus*

Geschichten zum Lesen und Lernen

Anruf für einen Toten
Kriminalgeschichten
88 Seiten, mit Zeichnungen, gh. ISBN 3–19–001343–8

Schläft wohl gern länger
Jugendgeschichten
64 Seiten, mit Zeichnungen, gh. ISBN 3–19–001395–0

Täglich dasselbe Theater
Heitere Geschichten für Jung und Alt
68 Seiten, mit Zeichnungen, gh. ISBN 3–19–001426–4

Start mit Schwierigkeiten
Reiseerzählungen
60 Seiten, mit Zeichnungen, gh. ISBN 3–19–001379–9

Einer wie ich
Geschichten aus der Welt des Sports
72 Seiten, mit Fotos und Zeichnungen, gh. ISBN 3–19–001397–7

Hueber – Sprachen der Welt

In der Grundstufe:
Lesestrategien lernen

Lesetraining

für Jugendliche und junge
Erwachsene in der Grundstufe
für Deutsch als Fremdsprache
von Manuela Georgiakaki
112 Seiten mit Fotos und
Zeichnungen
ISBN 3–19–001619–4

»Lesetraining« richtet sich
an jugendliche Lerner in der
Grundstufe. Es konzentriert
sich auf systematische
Übungen zur Fertigkeit
„Leseverstehen" und ist
lehrwerksbegleitend in
Kursen einsetzbar. Einen
besonderen Stellenwert
nehmen dabei Texte ein,
die den Interessen
jugendlicher Lerner
entgegenkommen und
ihre Neugierde wecken.

Im **ersten Teil** des Buches wird der Lerner an den Umgang mit Lesetexten
herangeführt und mit Lesestrategien vertraut gemacht.

Im **zweiten Teil** wird der Wortschatz bedeutend erweitert, aber die Texte
sind immer noch relativ kurz, damit sie ohne Motivationsverlust bearbeitet
werden können.

Im **dritten Teil** wird an komplexeren Texten gearbeitet.

Hueber – Sprachen der Welt